売上10億円の壁を突き破る！

営業DXの強化書

DIGITAL TRANSFORMATION

カイロスマーケティング株式会社代表取締役
佐宗大介 著

ダイヤモンド社

はじめに

二〇一二年のある日、小さな組織の「マーケティングを、もっと身近に。」したいと思い、カイロスマーケティング株式会社を創業しました。

ものづくりが得意な我が国ニッポンには、小さな組織がつくる優れた商品がたくさんあります。そうした商品がもっと知られて、みんなに使ってもらえるような仕組み、つまりマーケティングや販売促進（販促）・営業ができるようになってほしいと思っていました。

ちょうどその当時、ITツールがクラウド化すると同時に、従来のシステムが構築するための費用から月々の利用料を支払う、月割りの料金に移行しはじめた頃であり、小さな組織でも利用が可能になってきました。ITツールを使うことで、「マーケティングを、もっと身近に。」する可能性を見出して、そのプログラムを自分で書きはじめました。

それから一〇年以上をかけて、全国の小さな組織の経営者やリーダーのみなさんのお話をうかがいながら、ITツールを使って売上アップのためのヒントをお伝えしてきました。そのうちに、本当に小さな組織だった当社も少しずつ大きくなってきました。

この一〇年余りの経験から見えてきたことがあります。

それは、売上の大きさによって、マーケティングや営業の組織にはあるべき姿があり、売上が伸び悩んでいる組織にはある共通点があることです。


立ち上げたばかりの小さな組織では、働く人たちが個人商店化しています。大きな裁量があり、仕事のやり方も個人任せ。裁量という個人の自由度によって組織が成り立っています。そもそも個人の自由に依存することが、売上一億円への到達に必要とされています。とても人材志向です。

しかしながら、個人商店化でなんとかなるのは売上三億円程度までです。よくても売上五億円くらいでしょう。売上三億円の壁とか、五億円の壁とか呼ばれています。


売上五億円の壁を越えて一〇億円を目指すなら、社長が営業としてのエースストライカーから監督に変わるとき。そして、優秀な人が事業を動かすという人材志向から、誰でも同じことをやれば成果が出せる仕組み化志向に変わらないといけません。

そもそも事業は、こちらの成功体験をあちらで再現することで、業績を拡大していくことにあります。再現性のある成功体験を探して、別の場所で応用する。これが必要です。

もちろん、営業だって同じです。仕組みによって大きくするのです。売上一〇億円を目指すためには、「仕組み化して、社長がエースストライカーとしての点取屋から監督に変わる」必要があります。

販売力とは、個人や組織の能力ではなく、習慣です。マーケティングや営業にもこれが当てはまります。

マーケティングや営業の仕組みをつくって、社員にそれを実践させる習慣をつくります。繰り返し仕組みをこなすことで、社員は成長します。社員の成長は会社の成長につながります。この考え方こそ、小さな組織が売上一〇億円を達成するための根幹にあるべきです。

本書は、売上三億円、五億円の壁を越え、一〇億円を目指す小さな組織に必要なマーケティングや営業の指針を解説していきます。

小さな組織から売上一〇億円を狙うためには、受注に近い営業活動から変えていきます。営業の成約率や活動の効率を最初に高めておくことで、新規開拓のための広告宣伝費を安心してかけられるようになるからです。まずは、受注という出口を変えてから川上のマーケティングを変え、費用対効果を高く保ちながら売上一〇億円を目指していただきたいと考えています。

売上一〇億円を目指す変革は、社員次第ではありません。リーダーの心持ちの変化が必要なのです。

目次

第1章

なぜ、売上一〇億円の壁を突き破れないのか？

小さな組織が売上一〇億円に届かない理由と解決の糸口

●人材と新規開拓の問題がボトルネックである

カイロスマーケティング株式会社を創業して、これまで一〇年余りで三〇〇〇社以上の中小企業などの小さな組織のリーダーの方々と接する機会をいただきました。当社の事業の中心である営業や販売促進のまわりには、どんな小さな組織のリーダーにも悩みがあります。そして、小さな組織のリーダーの悩みには共通点があるのです。

小さな組織のリーダーの共通の悩みとは、人材育成や人材定着など人材に関するものと、営業やマーケティングで新規開拓ができない、という二つになります。

小さな組織とは、中小企業や大企業の新規事業の立ち上げのための組織、そして最近では国の支援も充実しつつあるベンチャーやスタートアップ企業のことを指しています。優秀な人材は大きな組織で働く傾向があり、新規開拓はブランド力のある大きな組織が強いというのがよく知られた常識であり、小さな組織にとっての既知の問題でもあります。

それでも、小さな組織のリーダーは、我が国の経済成長への貢献、社会や株主のための利益還元を目指して売上アップに努めています。

そして、業種やビジネスモデルによって多少は異なりますが、一〇億円という売上が小さな組織のリーダーにとっての一つの目標になります。ベンチャーやスタートアップ企業は上場が見えてくるようになり、地元ではそれなりの知名度が出てきます。売上一〇億円になる頃には従業員数が一〇〇人を超える規模になり、いよいよ小さな組織から卒業をすることになります。

売上一〇億円に到達するためには、小さな組織のリーダーが抱える人材に関する課題と新規開拓という課題の両方を克服しなくてはなりません。それはどのように克服していけばいいのでしょうか？

●小さな組織の強みを活かすことが戦略である

そもそも課題の克服の前に強みを活かさなくてはなりません。どんな戦略の実行でも、まずは自社の強みを活かすことを優先します。弱みや課題の克服は、自社の強みを活かすことの次に優先します。

小さな組織の強みは、機動力の高さにあります。

小さな組織では、部門の人員が少ないため、大きな組織に比べて組織の階層構造が単純になります。組織構造の単純さに加えて、組織全体に対する社長などのトップの影響が大きくなります。トップが意思決定してから、組織全体が決定された意思を時間をかけずに実行できるという利点があります。

大きな組織では、稟議のための資料づくりに始まり、各種役員会での承認などの意思決定、実行までの各部門間での調整と実行のための研修などが必要となり、意思決定から実行までにとても時間がかかります。

このように、機動力の高さが小さな組織の強みではありますが、機動力の原点となるトップの意思決定は、トップの頭のなかだけにある経験と勘に基づいています。正しい意思決定がなされれば、機動力と兼ね合わせて強みになりますが、そうでないと弱みになります。

売上一〇億円を目指すためには、従来の機動力に加えて、市場やお客さまに関する情報を蓄積してトップの意思決定の精度を上げる必要が出てきます。ＩＴツールを導入して、営業活動のデータを貯めるようにしましょう。営業活動のデータとは、営業活動に関する情報であり、お客さまや取引先との取引履歴、売上や収益、市場ニーズや要望、競合他社の動向など、営業に関連するさまざまな情報を含んでいます。これらの情報は、営業部員に聞かなければ得られない情報です。営業ＤＸ（デジタルトランスフォーメーション。21ページ参照）により、自社の営業活動を記録していくことで、自社の営業活動のデータが社内に蓄積できるようになります。

小さな組織の強みである機動力をさらに活かし、トップの意思決定の精度を上げるためにＩＴツールを活用して事業に関するデータを蓄積していきます。これが、小さな組織が売上一〇億円を目指すための基本になります。

人材という問題の構造を理解しよう

小さな組織では、常に人材の不足に悩まされています。売上が先か、人材が先かという議論もありますが、採用はできてもその逆はできないという日本の雇用の仕組みにおいて人材を先に増やすことにはリスクがあります。まずは売上拡大のために、数限られた少ない営業部員で可能な限り多くの営業活動をすることになります。

新規開拓の営業アタックリストの作成、最初のアプローチ、電話連絡、アポ取り、会社紹介、ニーズのヒアリング、提案の準備、見積りの作成、提案活動、調整・交渉、結論の回収、契約の締結、導入の調整、アフターサービス、クレームの処理など、こんなにも多くの業務をたった一人の営業部員が担当しなければなりません。大きな組織ではとても考えられない業務の範囲です。

これだけの業務範囲でありながら、営業マニュアルがきっちり整備されていることもなく、体系立てられた営業研修もありません。

小さな組織において営業部員が育たないという人材育成の課題の背景には、営業業務の幅広さにあります。人員不足が結果として、人材育成に悪い影響を及ぼすことにつながっています。

加えて、営業部員同士の営業ノウハウの共有も十分ではありません。小さな組織の営業で大きな成果を上げている営業部員は、独自の営業勝ちパターンを身につけている社長をはじめ、部門のトップや立ち上げメンバーなどのベテラン営業部員だけです。営業活動の勝ちパターンやノウハウは彼らの頭のなかにあります。営業活動の独自の勝ちパターンに基づいて自身の裁量で属人的な営業活動をしています。

小さな組織の営業部員の育成は、新人の営業部員がベテラン営業部員から業務をこなしながら学ぶＯＪＴ（On-the-Job Training）が中心です。ＯＪＴすらない小さな組織では、新人営業に名刺を持たせて「行ってこい！」「なんとかしてお客さまを見つけてこい！」と旧態依然の営業活動をすることも見かけます。小さな組織のＯＪＴは、ベテラン営業部員がそれぞれの独創的な営業の手法を教えることになります。ＯＪＴを通じて一人前の営業部員として育てば、育った社員も独自の営業の売り方を身につけることになります。

ＯＪＴによって営業部員が育てば、新規開拓から提案、交渉、クロージングまでできる有能な営業部員になります。しかし有能な営業部員は採用市場での価値が高くなり、高い給料で他社に

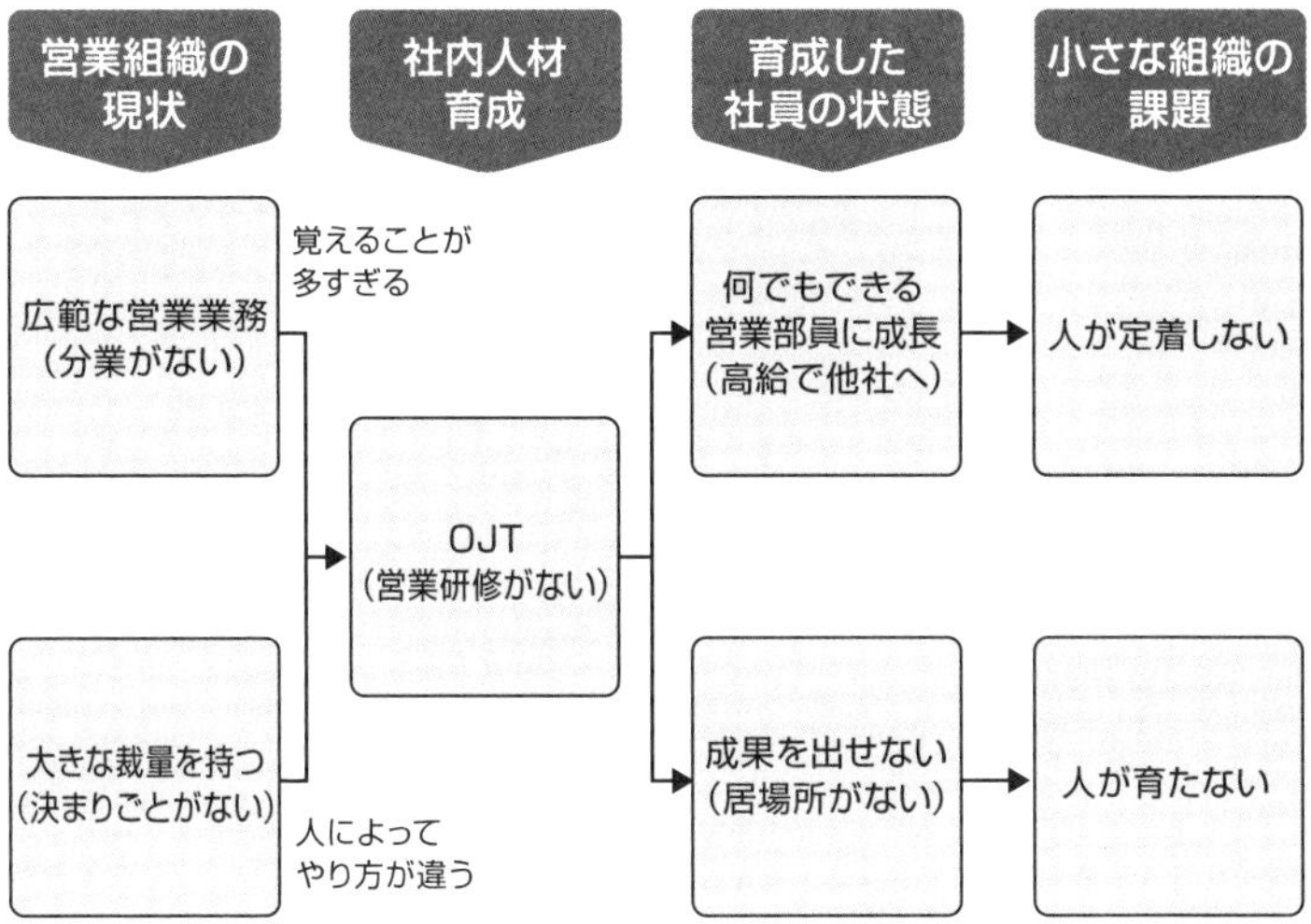

▶図表1

転職してしまいます。せっかくOJTで育てた営業部員が転職するため、人員が定着しません。

育たなかった営業部員は、いつまでも営業成績を出すことができずに、社内で肩身が狭くなります。社内にいづらくなり、辞めてしまうということもあります。社内での営業部員の成績の格差は、社員の定着率を下げる結果となります。それだけでなく、社内の雰囲気が悪くなることでしょう。社内の雰囲気が悪くなることで、人員が定着しにくくなるのです。

小さな組織の人に関する課題をまとめると**図表1**のようになります。営業活動において分業がないことと、営業部員の持つ大きな裁量が、小さな組織の人材定着と人材育成の課題の根本的な原因を生む構造となっています。

新規開拓ができないのは組織の構造が問題

小さな組織の典型的なもう一つの経営課題は、新規開拓です。

お得意さまに売上が集中することは、小さな組織における事業継続のリスクになります。単一事業を営んでいる組織では、これは喫緊の経営課題になります。お得意さまの経営不振や経営戦略の変更により契約が解除されれば、自社の売上に大きな負の影響があるからです。お得意さまに売上が集中しないようにするためには、常に新規開拓をして新しいお客さまとの契約を獲得することはとても大切です。

とはいえ、なかなか新規開拓に手が回らない意思決定の構造があるのです。

営業の目的は、言うまでもなく多くの受注を取ることです。新規開拓から受注、そしてアフターサービスまでを一人の営業部員が担当しなくてはならない状況にあれば、どうしても受注に近い商談が優先されます。目の前に受注目前の商談があれば、受注できるかどうかまったくわからない新規開拓をする営業部員などいません。

新規開拓では、関係値（顧客との信頼関係を測る指標）がまったくないお客さまに営業活動をしなくてはなりません。関係値がないことが営業活動の難しさであることを知っている営業部員は当然、これまで何度も打ち合わせなどを通じて関係値ができあがっているお客さまを優先しま

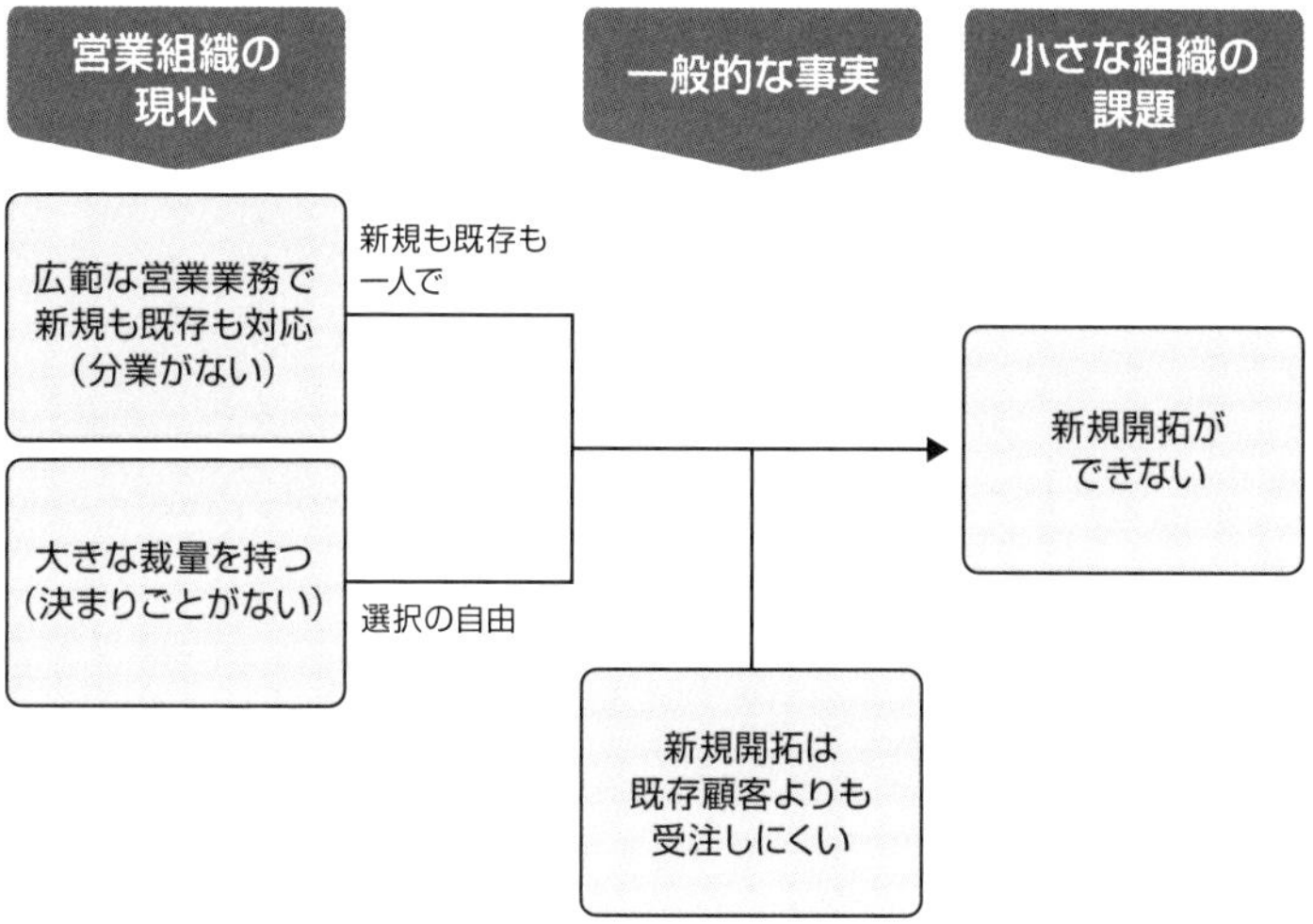
営業組織の現状
一般的な事実
小さな組織の課題
広範な営業業務で新規も既存も対応（分業がない）
新規も既存も一人で
大きな裁量を持つ（決まりごとがない）
選択の自由
新規開拓ができない
新規開拓は既存顧客よりも受注しにくい

▶図表2

す。ほとんどの中小企業などの小さな組織では、自社の事業領域における認知すらないため、新規のお客さまから信頼を得て関係値をつくっていくためには、一層の努力が必要になります。

このように、小さな組織の営業活動では営業部員が大きな裁量を持ち、自分でやるべきことの優先順位を決めてしまうため、どうしても新規開拓がおろそかになります。受注することで売上を積み上げることが目的である営業部員からすれば、確かに正しい判断と言えます。ただし組織として見た場合には、これは正しい判断でしょうか？

小さな組織における新規開拓は、事業継続のリスクを回避するだけでなく、自社の営業力強化にもつながります。新規開拓の営業活動では、競合とのコンペや新たなお客さまのニーズへの対応、新技術の適応、価格交渉などの市場競争に対応する必要があります。市場競争を通じて、市場の理解を深め、その変化に追従する必要が出てきます。これらに対応することが自社の営業力を強くするのです。新規開拓を避けていては、同じお客さまに同じ商品を提供し続けることになるためいつまで経っても事業拡大にはつながらないうえに、自社の営業力強化にもなりません。

小さな組織における新規開拓の課題を**図表2**にまとめました。一人の営業部員がすべての営業業務をこなすため新規開拓と受注活動の分業ができていないこと、営業部員に大きな裁量があって自分で決めてしまうこと、という二つの営業組織に関わることと、新規は既存よりもはるかに難しいという周知の事実により、小さな組織の新規開拓ができないという問題の構造が見えてきます。新規開拓と受注のための営業活動が分業されていれば、このようなことは起こりません。この問題の構造は、人材育成と人材定着の課題とまったく同じであることがわかります。

営業の仕組み化が小さな組織の問題構造を解決する

ここまで見てきた小さな組織の営業活動の課題は、

- 個々の営業部員が業務において大きな裁量を持っている
- 広範囲な営業業務を一人の営業部員が担っている

ということが根本的な原因です。

小さな組織の営業活動では、一人の営業部員が新規開拓から受注までの幅広い業務を担当するうえに、業務に対して大きな裁量があるため、まるで個人商店のようになっています。

コンサルティングや士業法人のような、各部員が個人商店のように仕事をすることで各部員の業務量の調整と最適化ができ、屋号や法人として個人商店の集団としてのブランド認知を上げることを目指すような事業モデルであれば、個人商店化しているほうが合理的です。

しかし多くの事業では、営業の個人商店化は好ましくありません。そもそも事業とは、ある活動の成功パターンを別の活動に当てはめて効率を上げることでうまくいくという性質があります。これは、営業の個人商店化と正反対です。個人商店化が進む組織では、せいぜい売上は三億円が限界です。売上一〇億円を目指す組織は、個人商店化から脱却して、組織として営業をすることで事業が大きくなります。

また、営業活動はお客さまとの唯一の接点であり、お客さまの声や競合の状況を知るための情報源です。経営においてとても重要なお客さまとの接点を、個人商店化させて個々の営業部員に委ねてしまうことは、経営にとって大切な要素をブラックボックス化しているだけで、好ましい状態とは言えません。機動力が高いという強みがある小さな組織において、営業活動がブラックボックス化している状態では、意思決定の精度が上がりません。場合によっては、間違った意思決定を高い機動力で迅速に進める結果になってしまいます。

小さな組織における営業活動の個人商店化の解消のためには、営業活動を仕組み化して「決まりごと」つくる必要があります。営業活動を仕組み化することによって新規開拓と受注活動が分業できるようになるだけでなく、営業活動に仕組みという「決まりごと」を定めることによって営業活動の個人商店化を解消することができるのです。仕組み化と分業は、小さな組織の営業課題である「個々の営業部員が大きな裁量を持つ」「広範囲な営業業務を一人の営業部員が担う」という両方の課題を直接解決することにつながります。

営業活動の仕組み化は、個人商店化の解消だけでなく、人材育成にもなります。経験の浅い新人営業部員は、仕組みを通じてベテラン営業のノウハウを実践することになるため、営業のやり方を覚えるだけでなく、成果の出せる営業部員に成長することも期待できます。

仕組み化は、営業DXと相性がよいと言われています。自社の営業の情報を蓄積するだけでなく、分業と仕組み化された営業活動の全体が見えるようになるからです。そのため、次の節では営業DXについて説明することにします。営業DXの利点を取り込みながら、小さな組織の営業活動を仕組み化することで、営業活動の個人商店化を解消していきます。

売上一〇億円のカギとなる営業DX

そもそもDXってなんだろう？

DXは、Digital Transformation（デジタルトランスフォーメーション）の略称で、ITツールやデータなどのデジタルの力を活用して組織や事業を変えることを指します。国内では、コロナ禍による社会情勢の変化をきっかけに、多くの企業がDXに関心を寄せるようになりました。

DXと聞くと、IT化と何が違うのだろう？　と疑問を持たれることでしょう。なぜなら、DXとIT化は似ている部分が多くあるからです。

IT化とは、業務そのものや業務プロセスに情報技術を取り入れ、情報の収集・処理・共有などの業務の進捗効率を向上させ、業務の生産性や品質の向上や自動化を実現することです。例えば、紙の書類や手作業に頼っていた業務を電子的に処理し、情報の共有や検索を短時間で、かつ簡単にすることがあげられます。データベースやクラウドサービスの活用により、情報を一か所に集めて共有や検索を簡単にすることで、情報共有の即時性が上がります。

小さな組織におけるDXの領域

生産・在庫・物流	社内業務	社内外のコミュニケーション	販売・営業
商品の生産・流通の合理化を目的とするもの	社内の既存業務をITにより効率化する目的とするもの	社内外のコミュニケーションや業務管理を円滑化するもの	営業や売上向上、新規開拓、広報を目的とするもの
・生産管理システム ・在庫管理システム ・仕入れ管理システム ・品質管理システム ・物流管理システム	・労務管理ツール ・勤怠管理ツール ・会計ツール ・電子契約ツール ・資産管理ツール	・チャットツール ・WEB会議システム ・タスク管理システム ・グループウエア ・日程調整ツール	・CRM ・SFA（営業支援システム） ・MAツール ・名刺管理ツール ・ホームページ管理ツール

営業DXに関わる領域（社内外のコミュニケーション、販売・営業）

▶図表3

DXはIT化を含む大きな概念を持っており、事業やその目的主体を変えることを目指す取り組みにあたります。DXは急速に変化するお客さまや市場に適応して、自社の競争力を維持、または向上させることを目的としています。

●営業DXが急速に注目を浴びる理由

リモートワークが進み、対面以外の営業活動を可能にするITツールが普及するにつれて、営業DXに関心を寄せる企業が増えてきました。営業DXとは、営業、販売促進、およびマーケティング（中小企業ではマーケティングを広報と呼ぶことがある）の分野におけるデジタルトランスフォーメーション（DX）を指す造語です。

図表3は、業務におけるＤＸの領域を示したものです。営業ＤＸは、デジタル技術を活用して自社の営業活動を変えることで、社内外のコミュニケーションや販売・営業の領域において自社の営業競争力の維持、または向上することを目的としています。

営業ＤＸにより、売上や利益の向上、営業業務の効率化、デジタルを活用した新規開拓や販売促進、お客さまとの関係性の強化、データに基づいた精度の高い意思決定など、さまざまな効果が期待できます。

営業ＤＸでは、ＩＴツールを導入して営業業務の生産性の向上を目指します。

ＷＥＢ会議システムや、社内・チーム内のチャットツール、お客さまとのアポを手軽に調整する日程調整ツールなどが、社内外のコミュニケーションを効率化する代表的な営業ＤＸのＩＴツールです。これらのＩＴツールの活用により、営業活動における出張時間や出張費用の削減、会議時間の削減や組織内コミュニケーションの活性化が期待できます。

また、会社の紹介や基本的な見積り作成など、お客さまごとにほぼ同じ作業や繰り返し作業が存在する場合、これらの作業をＩＴツールで行うことで、単純作業の時間削減につながります。

営業ＤＸでは、社内外のコミュニケーション以外にも、販売や営業の業務の効率を改善する目的でＩＴツールを活用します。ＣＲＭ（顧客関係性管理ツール）やＳＦＡ（営業支援システム）と呼ばれるお客さま管理システムを使うことで、お客さまの連絡先や企業情報、ヒアリング内容や商談情報が整理・記録できます。また、マーケティングオートメーション・ツール（以下「MAツール」）は、お客さま単位でメール開封やホームページのアクセス状況を記録し、将来に自社の商品を買っていただける有望な見込みのお客さまを探し出す、営業DXの代表格のITツールです。

CRMやSFAとMAツールを併せて活用することで、販売促進や営業活動で発生するお客さま情報や自社の製品・サービスに関する情報が、一つのデータベースに集まるようになります。情報が一つのデータベースに集まることで、営業部員同士の情報共有や情報検索にかかる時間や手間が減るだけでなく、営業活動の情報も蓄積できるため特定のお客さまへの見積り値引きの額の推察や、ある競合とのコンペ時の対策などができるようになり、営業力の強化につながります。

小さな組織が取るべき進化の道筋

●仕組み化で営業の個人商店化を解消する

仕組み化とは、営業活動の手順や方法を時系列に沿って整理し、要素ごとに分解し、営業活動全体を整理して、会社の「決まりごと」にすることです。すなわち、社長や一部のベテラン営業部員の頭のなかだけにある自社の営業活動の成功パターンやノウハウを要素ごとに分解し、成功の再現性のある標準営業プロセスとして全営業部員が実行できるようにすることです。

これによって、小さな組織における営業活動の個人商店化が解消され、自社の営業部員が誰でもその仕組み化された営業活動を実行することで一定の成果を上げられるようになります。

営業活動を仕組み化するためには、まずは社内のトップセールスである社長や一部のベテラン営業部員の頭のなかにある営業活動の成功パターンを聞き出すことから始めます。社長やベテラン営業がいつも実践している成功パターンを自社の営業活動の「決まりごと」として言語化します。言語化した「決まりごと」をつくることが営業活動の仕組み化の第一歩です。営業活動を仕組み化する具体的な方法については、次の章で説明します。

自社の営業活動の仕組みは、マニュアルなどで文章にできたらいいのですが、人員不足に悩む小さな組織では営業マニュアルの作成から変更時の修正までを考えると現実的ではありません。「営業マニュアルをつくる時間があるなら、一件でも多くの受注を取るべきではないか」と営業部員から反論の声があがってしまいます。

そこで人手不足に悩む小さな組織ではＩＴツールを活用して営業の仕組みをつくり、それを営業マニュアルの代わりにします。ＳＦＡやＣＲＭなどのツール（以下「ＳＦＡ」）を導入して、自社の営業活動の仕組みを設定して日々の営業状況を記録することで、営業マニュアルと同じ役割をさせます。

手軽に営業活動の仕組み化をすることが、小さな組織では重要です。

●仕組みが社員を育てる

売れる営業部員にその秘訣を聞くと、いつも驚かされます。売れる営業部員には売るためのスキルがありますが、それ以上に、「面会先の企業の採用状況、社長のメッセージ、各種メディア掲載などの情報をくまなく調べておく」「面会のお礼の連絡を入れる」「見積りを提示したら、必ず一週間後に連絡をして状況を確認する」などの、誰でもできるあたりまえのことを、忘れることなくきっちりやる工夫をしていることがわかります。

売れる営業部員本人には、これが特別なことであるという自覚がないことも共通しています。「特別なことは何一つしていない」という返事をもらうことがほとんどです。

ここからも推察できるように、営業力というのは、売るためのスキルなどの「能力」というよりも、必要なことをやり切る「習慣」が大切であることがわかります。営業力は「能力」よりも「習慣」なのです。

仕組みを覚えることは、学校の授業と同じです。学んだことを習慣になるまで実践することで人は成長します。そもそも本書の仕組みは、社長やベテラン営業部員の頭のなかにある成功パターンを具現化したものです。これを実践すれば、営業部員が成長するというわけです。

実は、営業日報だけでは不十分

営業活動を仕組み化しても、その仕組みを営業部員が実践しなければ、依然として個人商店化したままです。営業を仕組み化したら、次はその実行状況が見えるようにして、実行状況を確認する必要があります。

そもそも営業活動は、主に社外で行われるため、社内からは見えないという特性があります。意図的に営業活動を「見える化」しなければ何も見えないのです。

営業活動の「見える化」の手段として営業日報があります。営業日報には、その日の営業部員の「やったこと」が時系列で書かれています。これだけで十分と言えるでしょうか？　実は、仕組み化のカギは見える化であり、見える化のカギは営業部員が「やってないこと」にあるのです。

仕組みとして成立するためには、すべての営業部員がやるべきことをきっちりとやることです。つまり、営業部員はやるべきことのうち「やってないこと」がない状況にしなくてはなりません。「やってないこと」が見えないことが、営業日報の問題なのです。

ＳＦＡで仕組みを定義して、その実行状況が見えるようになれば、従来の営業日報の問題を解決できます。ＳＦＡもＩＴツールですが、ＩＴツールにはこのような便利な機能があるので小さな組織ほど活用すべきであると考えています。

●売上一〇億円を目指すなら営業を分業せよ

小さな組織の営業を分業しなければ、受注は取れるものの新規開拓がおろそかになることを述べてきました。継続的に事業を成長させるためには新規開拓は欠かせません。そこで、従来の営業活動を「新規開拓」と「受注のための営業活動」（以下「受注活動」）に分業することをおすすめします。

大きな組織では、新規開拓をマーケティング部門が実行することがあります。そのため、新規開拓をマーケティングと称する企業もあります。本書では以降、新規開拓全般を「マーケティング」と呼ぶことにします。

小さな組織で従来の営業活動を分業するメリットは、組織が抱える問題を解決するだけに留まりません。

従来の営業活動を分業し、営業部員一人あたりの業務の範囲を小さくすれば、同じ業務を繰り返す割合が増え、業務の効率が上がって生産性の向上が期待できます。新人の営業部員でも対応できる業務が増え、でなく、他の営業部員の営業活動の生産性は上がります。

分業し業務の範囲を狭めることで、覚える仕事や身につけるべきスキルが少なくなります。仕事を覚えて業務を繰り返すことで営業部員のスキルの向上が見込めるようになります。営業部員のスキルが向上すれば自社の営業活動の進化につながるはずです。

業務の範囲を狭めれば、営業業務の難易度が下がります。経験の浅い営業部員でも成果の出せる業務が増えることにつながります。

小さな組織の営業活動を分業するメリット
・営業活動の効率をよくして業務の生産性を向上させる
・業務に対応する営業部員の専門性を短期間で高める
・業務の範囲を狭めて業務の難易度を下げる

売上一〇億円組織をつくる三つのステップ

まずは受注活動を仕組み化する

では、分業した営業活動のうち、どこから手をつけるべきでしょうか？

小さな組織では費用や人員などの経営資源に限りがあるため、マーケティングと受注活動を同時に改革することは難しいでしょう。大きな変更は社内の混乱を引き起こすことになり、従来の営業活動に影響を及ぼすことがあるため、受注活動とマーケティングの同時の変更はあまりおすすめできません。

売上一〇億円に向けた組織や業務の変更は、受注に近い営業プロセスから始めることが適切です。受注活動が安定すれば、マーケティングに人員や費用を投下しても、売上として成果を十分に回収できるからです。

マーケティングでは、広告の出稿や展示会への出展などの費用を伴う活動が中心になります。営業活動の仕組み化や見える化、そして営業部員の仕組み実行の習慣化を通じて営業力を強化することで受注活動の問題点が明らかになり、明らかになった問題点を改善することにより受注件数や売上アップにつながっていきます。売上がアップすればマーケティングの費用を回収できる可能性が高くなるので、マーケティングに十分に投資できるようになります。例えば、数百万円かけて展示会に出展し、数百枚の名刺を獲得しても、後続の営業プロセスが十分でなければ、獲得した名刺から十分な商談創出や受注獲得ができない問題が生じます。その結果、費用対効果は大幅に低下してしまいます。

売上一〇億円を目指す組織づくりは、受注に対する川下にあたる受注活動の改善から始めましょう。

●マーケティングはITツールで効率化を

営業人員の不足に悩む小さな組織では、マーケティングにもITツールを活用して少ない人員で効率よく将来の見込みのお客さまを探すことが大切です。ITツールを使ったマーケティングは、デジタルマーケティングと呼ばれます。本書では、デジタルマーケティングも併せてマーケティングと呼ぶことにします。

一〇年も事業を営んでいる組織であれば、例外なく社内に多数の名刺があります。筆者の経験では、従業員数五〇名程度の小さな組織でも少なくとも数百枚の名刺があると推測できます。毎年展示会に出展している企業であれば、確実に数百枚の名刺が社内に存在します。
これらの名刺情報をある特定の場所に電子的に保存します。情報を集めて電子的に保存したものをデータベースと呼びます。いつでも、どこからでも営業部員が特定の情報を閲覧したり、検索したりできるようになります。

お客さま情報をデータベース化すれば、お客さまリストに対して一斉にメール営業をすることも可能です。メール営業は、小さな組織におすすめしたいマーケティング手法です。費用を安く抑えられるだけでなく、営業活動の効率を圧倒的によくできるからです。メール営業で返信があった見込みのお客さまに連絡をすると、一定の確率で商談のアポを取れるようになります。小さな組織では典型的な手法であったテレアポ、すなわち数百件の名刺情報をもとに上から順番に電話をしてアポを取るよりもずっと効率がよくなります。このようにして、見込みのお客さまを発掘する仕組みをつくります。

小さな組織のマーケティングで見込み客を発掘する

・社内にある名刺を一か所に集める
・ＩＴツールを使ってお客さまに情報を届ける
・優先して営業活動をすべきお客さまを見つける

見込み客を発掘するマーケティングの仕組みができたら、次は新しいお客さまの名刺を集めることをします。集客力がない小さな組織では展示会がテッパンの施策です。見込み客発掘の仕組みのうえに、新しい名刺情報を流し込む集客の仕組みをつなげるのです。

お客さま情報のデータベース化、メール営業による見込みのお客さまの発掘、そして集客の流れが小さな組織で取るべきマーケティング施策です。ITツールを活用することで、効率よく進めましょう。

●内勤営業でマーケティングと営業をつなげる

従来の営業活動を、マーケティングと受注活動の二つに分けると、ある小さな問題が生じるようになります。小さな問題ですが、売上一〇億円の組織をつくるうえで大きな問題に発展することがあるので、最初から注意しておく必要があります。

ここで言う小さな問題とは、マーケティングによって見込み客と見なしたお客さまを営業部員が訪問をすると、実はそのお客さまはまだ購買を検討している段階になかったという、営業訪問の空振りがより顕著になることです。実は、このような空振りは従来の営業活動でもよくある話です。しかし、マーケティングと受注活動に分業することで、自分ではない他人であるマーケティング部員が「これは行けます！」と判断していることがこの問題の原因です。従来からあった問題ではありますが、分業によってこの問題がそのうち顕著になり、営業部員が空振りの際には新規開拓のやり方に不満を持つようになります。この問題を未然に解決するために、「内勤営業」という役割を新たにつくっておくことをおすすめしています。

「内勤営業」は、電話やオンラインツールを活用して、訪問することなしに自社の事務所からお客さまとの商談や販売活動をする営業手法や組織を指します。従来の営業が訪問していたお客さま先に対して、内勤営業は事務所から営業活動をするので、このような名称が付けられています。

内勤営業では、マーケティング活動によって有望であると判断されたお客さまに連絡を取り、商談につながることを目的としてお客さまの興味関心を高めるトークをしながら本当に商談につながるお客さまかどうかを判断します。その結果、受注活動を担当する営業部員に訪問すべきお客さま情報を引き渡し、担当してもらいます。

営業メールに返信があっただけで商談につながる見込みのお客さまであると判断すると、例えばお客さまが商品について勘違いをしていたなどのある一定の割合で空振りが発生することは避けられません。しかし、内勤営業が人的にお客さまに連絡を取り商談になる可能性を探ることで、受注活動の訪問の空振りを減らします。結果として、受注活動の生産性を高める役割を担います。

小さな組織では、営業人員の不足に悩んでいます。内勤営業を導入して、小さな組織の営業プロセスを効率化することができます。内勤営業は大企業向けの分業と見なされることがありますが、小さな組織でも効果を十分に発揮できるのです。売上一〇億円を狙うのであれば、早い段階で内勤営業という役割を検討することをおすすめします。

小さな組織を変えるリーダーが知っておきたい三つのこと

●コンサルタントは初動に限定する

自力で売上一〇億円を目指す組織をつくるため、小さな組織でも業務効率化のＩＴツールの導入を自力でできればいいのですが、やはりはじめてのことは不安です。ＩＴツール導入の設計や計画を策定する段階では、外部の専門家であるコンサルタントの助言が役立ちます。

コンサルタントにお願いする場合、コンサルタントに業務を任せることを避けてできるだけ助言に留めてもらうことをおすすめします。コンサルタントに助言をもらいながら、できるだけ社員が手を動かすようにします。わからないときや不安なときに、必要に応じてコンサルタントに助言をもらうくらいでちょうどよいと考えています。

コンサルタントの費用は、コンサルタントの稼働時間に比例することが一般的です。コンサルタントに作業してもらった分だけ費用が高くなります。作業は自社でやって、コンサルタントには知見やノウハウに基づいた助言をもらう形にしましょう。コンサルタントに助言をもらいながら社員が手を動かすため、社員がコンサルタントから学びを得ることになります。

本書の目的は、読者のみなさんが自力で売上一〇億円の組織をつくること、そのためのＩＴツールの導入を自力でできるようになることです。本書を読み進め、一つずつ順番に実践していただければ、自社で売上一〇億円の組織をつくることができるはずです。

プロ向けの高価なＩＴツールを選ばない

どのＩＴツールの導入でも同じことが言えますが、せっかくＩＴツールを導入したのに社内に定着しない、難しくて使いこなせない、というのはよくある話です。せっかくだから将来的にも使えるように機能が多いものにした、有名な海外のものだから、という理由でＩＴツールを導入すると、作業の煩雑さや使いこなすための専門知識やツールの設定が多すぎて使いこなせないことが多くあります。有名なＩＴツールは、大手企業向けのものが多く、小さな組織では使いこなせないのは当然のことです。

大手企業向けのＩＴツールを利用するにあたっては特殊な研修を受講する必要があります。また、導入時にコンサルタントによる有償の伴走サービスも必要となるでしょう。これらはあくまで大企業向けないしプロ向けであることが多いと思ってください。

どのツールも同じですが、導入当初は本当にいくつかの機能だけに絞って、業務を回せるようにしましょう。最初から多くの機能を利用すると、社員が使いこなすことができず、社内への定着が進みません。

社員がＩＴツールに十分に慣れてから、いくつかの機能を試しながら使うようにしましょう。売上一〇億円の組織をつくるためにも一般的なＩＴツールの導入と同じく、小さく始めることが重要です。

ＩＴツールの導入には、サポートも評価しましょう。サポートはそのＩＴツールを使ってみないとわからないので、導入前に評価ができません。ＩＴツールの提供元の営業に聞けば「うちは、サポートがいいです」と必ず言います。

使い方を質問したら、回答が数日後ということもあります。いますぐ解決したいのに、数日後に回答をもらっても困ります。サポートは、午前中に問い合わせたら、その日のうちに質問の回答が返ってくることが望ましいと考えてください。

サポートの評価は、口コミサイトである程度の評判がわかることがあります。ITツールの口コミサイトは、ITツールの導入のための比較検討時に確認しておくことをおすすめします。

●組織はルールを変えることで変わる

売上一〇億円の組織をつくることと、営業DXは相性がよいと考えています。営業DXでは、会社としての「姿勢の変革」が必要です。なぜなら、営業DXの目的は「変えること」だからです。

組織を変える手段として、自社の戦略や組織構造を変えることがあります。戦略や組織構造は、社長のツルの一声で一晩で変えてしまうことができますが、戦略や組織構造を変えただけでは、変革そのものが形骸化しやすく、戦略と組織構造が変わっただけで、営業業務は以前とほとんど変わらないということになりがちです。

組織を変えるためには、業務の決まりごとや意思決定のプロセスなどの「仕組み」を変えることが最も有効と言われています。営業DXで組織を変える場合でも、「仕組み」を変えることで営業部員の行動が変わり、営業部員の行動が変わることで営業部員が成長していきます。

営業DXでは、まずは営業の仕組みを変えるためのITツールを導入して、社内を変えていくことが最も有効であると考えています。

どんな場合でも変革をするときに、人の意識が先になることはまずありません。多少強引でも、組織の環境を変えてしまうことが先ということです。最初は文句を言う社員も、三か月も経つと文句を言わずに新しい仕組みに取り組んでいることがほとんどです。この壁を越えると売上一〇億円に近づくのではないでしょうか。

第2章

売上一〇億円を目指す強い営業組織をつくる

営業力強化は「仕組み化」「ヨミ」「見える化」の三点で

営業の仕組み化について前章で説明しました。しかし、売上一〇億円を目指すためには、受注活動を仕組み化するだけでは不十分です。営業という活動は、「仕組み化」「ヨミ」「見える化」の三つの要素が揃うことで営業活動の全体像がわかるようになります（図表４）。営業活動の全体像がわかるようになることで「今月は、おそらくこれくらいの売上になりそうだ」とか「ここが営業の活動のボトルネックになっているため改善する必要がある」など、売上一〇億円に向けた営業活動の改善のポイントが見えるようになります。

そもそも営業という活動には、自社の営業部員に加えてお客さまという存在が不可欠です。営業部員が行動をするだけでは受注にはなりません。自社の営業部員の提案という行動に加えて、お客さまの買いたいという意思と行為がなければ成立しないのです。営業活動を仕組みという観点で捉えれば、自社の営業部員がお客さま先に訪問したという一方的な活動になります。

言い換えれば、営業という行為は、自社がどのような活動をしたかという商談の「進度」と、その活動に対するお客さま側の反応、すなわち商談の「確度」を見なくてはならないのです。

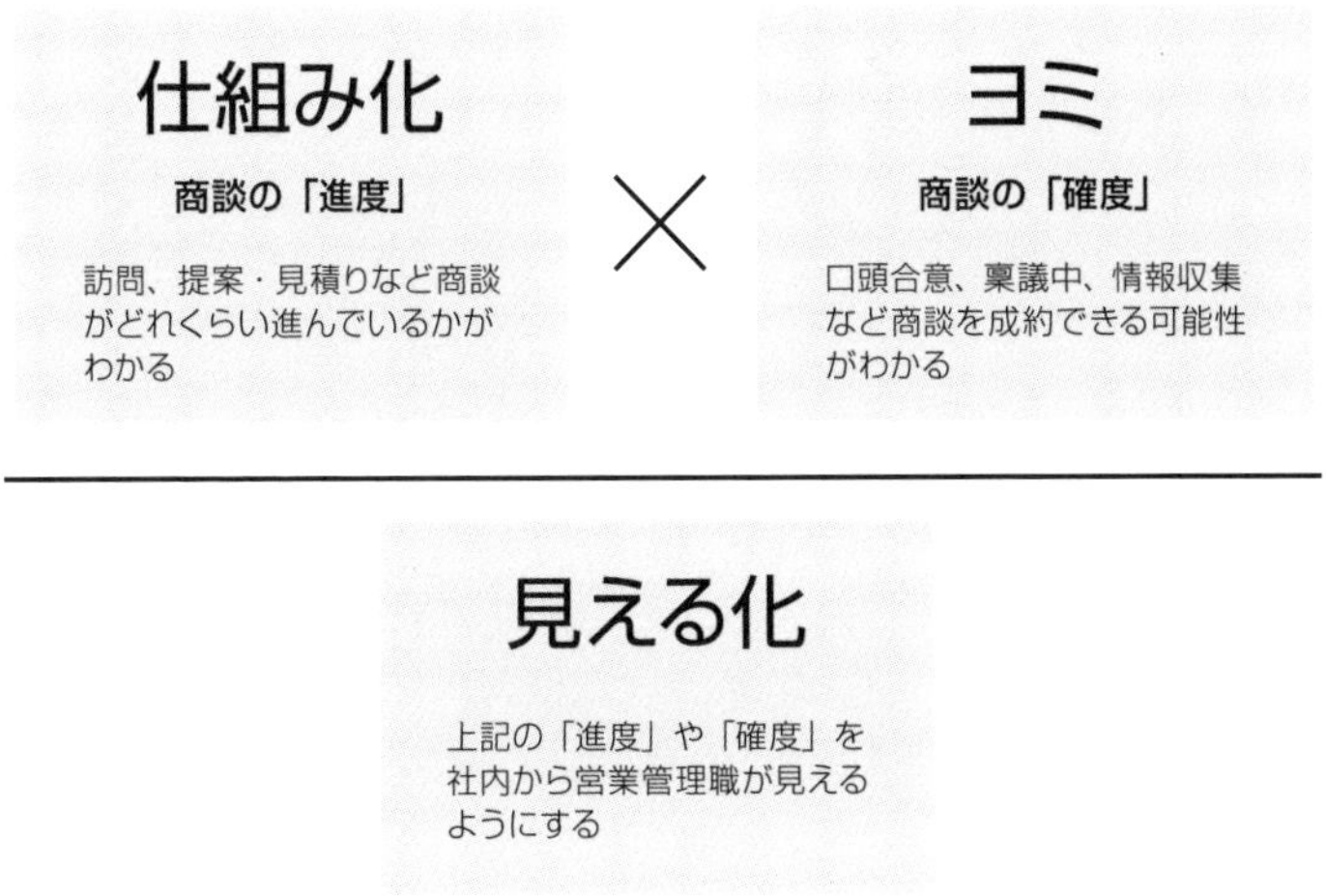
仕組み化
商談の「進度」
訪問、提案・見積りなど商談がどれくらい進んでいるかがわかる
×
ヨミ
商談の「確度」
口頭合意、稟議中、情報収集など商談を成約できる可能性がわかる
見える化
上記の「進度」や「確度」を社内から営業管理職が見えるようにする

▶図表4

「進度」は、自社の活動ですので主体は自社になります。それに対して「確度」は、お客さま側の反応になりますので、主体はお客さまになります。ここで言う「確度」が「ヨミ」に当たります。「ヨミ」は、後ほど詳しく解説します（51ページ参照）。

営業という行為は社外で発生するため、社内からは見えません。営業は経営における重要な行為であるとも言われますが、営業という行為は「見える化」する努力をしないと何も見えないのです。営業という行為が見えなければ、お客さまが見えないということになりますから、売上一〇億円など無理な話です。営業は「進度」と「確度」を「見える化」する必要があるのです。

営業の「仕組み」をつくろう

●仕組みの骨組みは「営業ステージ」と「標準タスク」

それでは、受注活動を仕組み化する流れについて解説していきます。受注活動の仕組みは、商談の進み具合である進度を示す「営業ステージ」と、商談の進展に応じてやらなくてはならない「標準タスク」の組み合わせで仕組みをつくっていきます（図表5）。

各商談の営業の進み具合である「営業ステージ」に対して、その「営業ステージ」で必ずやらなければならない「標準タスク」を設定します。「営業ステージ」を一つ先に進めるためには、その「営業ステージ」にある「標準タスク」を完了していることが条件となります。このように、「営業ステージ」と「標準タスク」を組み合わせることで、営業活動の全体を仕組み化します。営業という行為を仕組みにすると言うと難しいように感じますが、「営業ステージ」とその「標準タスク」の組み合わせをつくるだけと考えるといいでしょう。

受注活動の仕組みをつくることで営業部員は、どの段階になったら、どんなことをしなくては

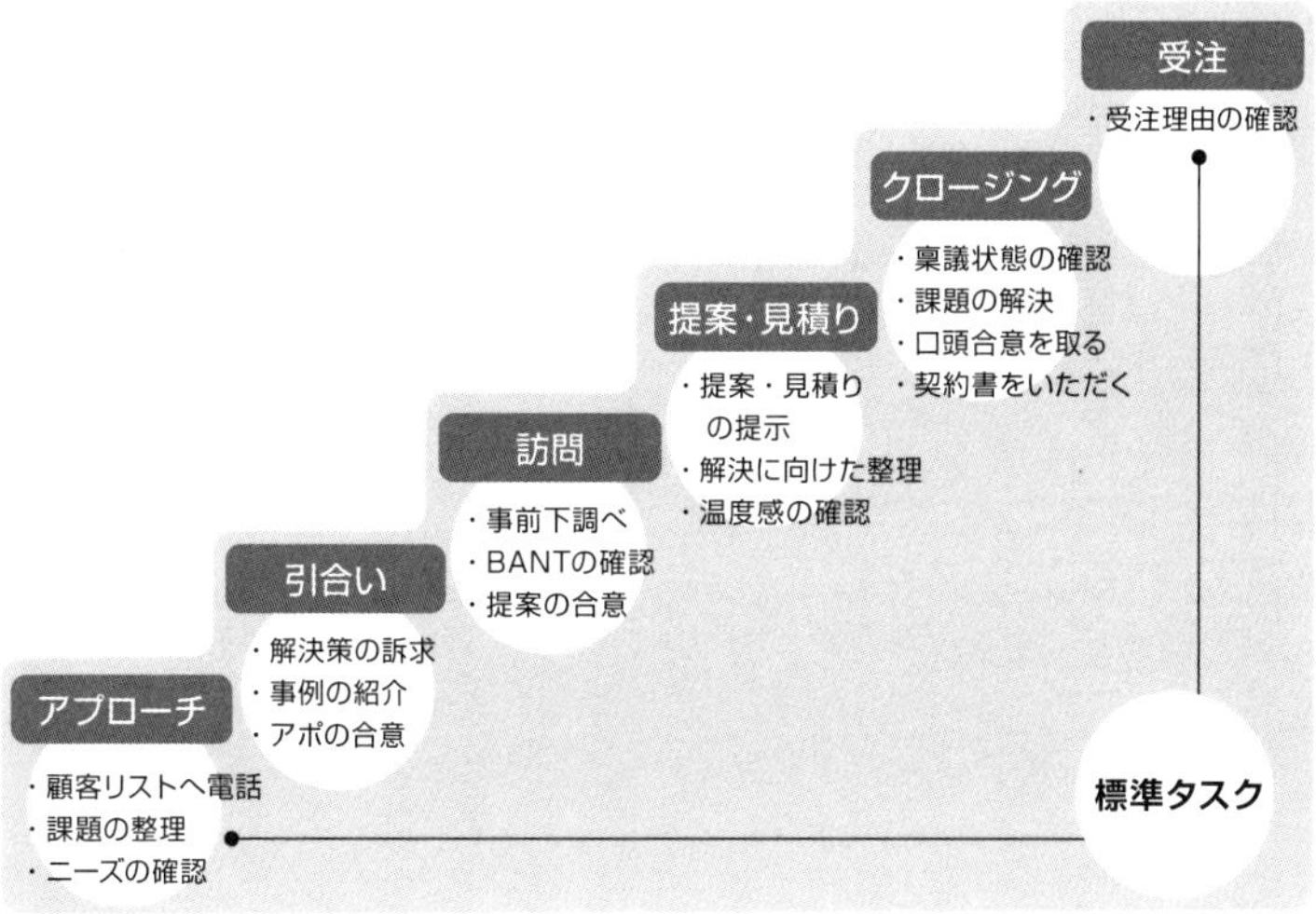

▶図表5

ならない、ということがわかるようになります。お客さまに対して、営業活動の仕組みで定められた「営業ステージ」における「標準タスク」を次々にこなしていくことで、売れる営業活動を仕組みとして学びます。仕組みの主体は、自社の営業部員です。ですから、営業部員は仕組みの「標準タスク」を自分でこなさなくてはならないのです。

仕組みは、営業のマニュアルのようなものです。まだ営業経験の浅い営業部員でも、やるべきことをやれば十分に成果を上げることができるため、本人の成長につながります。

●「営業ステージ」をつくる

受注活動の仕組み化では、「営業ステージ」をつくることから始めましょう。受注活動を、商談の進度に合わせていくつかの「営業ス

「営業ステージ」の例

	ステージ名	ステージクリアの条件
1	アプローチ	営業接触し、お客さまのニーズもしくはウォンツを特定できている状態
2	引合い	お客さまのニーズもしくはウォンツを特定できている状態で、次の訪問のお約束をいただいた状態
3	訪問	面会して、商品概要を説明し、提案のためのヒアリングが完了している状態
4	提案・見積り	提案の説明、および、見積書を提出・説明し、お客さま側の社内稟議の準備が整った状態
5	クロージング	申込書・契約書をいただく
6	受注	受注理由の確認

▶図表6

テージ」に分けます。受注活動は、業界や取り扱う製品、お客さまの慣習によって若干異なることがありますが、およそやるべきことと、やるべき順番が決まっています。「営業ステージ」をつくることに不安があるなら、社内のベテラン営業部員に話を聞きながら、「営業ステージ」をおおよそ決めてしまいましょう。

図表6は、一般な「営業ステージ」の例です。受注を除いて営業プロセスを五つの「営業ステージ」に分けました。はじめて「営業ステージ」をつくるときは、図表6のように、三つから五つくらいに分けることをおすすめします。

「営業ステージ」が多すぎると、営業部員が「営業ステージ」をより詳細に理解しやすくなる一方で、覚えることが多くなりすぎるという問題が生じます。そのうえ「この場合は、こちらでいいですか？」という営業部門からの問いが増え、営業管理職の頭を悩ませます。複雑、かつ煩雑な運用は、営業部員に対して営業の仕組み化の定着を妨げることになるため、最初は三つ～五つくらいの「営業ステージ」の設定が経験的に適切であると考えています。「営業ステージ」の数は、営業管理職として「ちょっと少ないかな」、と思うくらいがちょうどいいのです。

つくった仕組みをしばらく運用した後に問題が生じて、AとBの「営業ステージ」を分けたいと思ったなら、そのときに「営業ステージ」を分ければ問題ありません。「特定の『営業ステージ』にタスクが多すぎる」「『営業ステージ』を細分して商談の歩留まりを見たい」などの理由が原因で「営業ステージ」を分けることになると思います。明確な理由があって「営業ステージ」を分けることは問題ありませんが、営業管理職の好みや勘だけで「営業ステージ」を細かく設定しないようにしましょう。

「営業ステージ」が少なすぎるという例はあまり見たことがありませんが、もし少なすぎる場合には、特定の「営業ステージ」に対してやるべきことが増えすぎてしまいます。この場合も営業部員が業務をなかなか覚えにくくなったり、本来はやるべき「標準タスク」が漏れてしまったりするため、営業部員が仕組みどおりに業務をしても成果を出せなくなります。

●「標準タスク」の設定方法

「営業ステージ」の次は、各ステージで営業部員が行うべき「標準タスク」を決めます。

「標準タスク」の設定は、およそ決まりきったタスクを、付箋などを使って洗い出しましょう。重複や漏れを避けるために付箋で「標準タスク」を整理すると便利です。ベテランの営業部員に意見をもらうことも重要です。

「標準タスク」は、誰でも実行できることを選びます。例えば、「見積りのためにお客さまにヒアリングをする」「見積りの社内承認を取る」「提案のための面談に先方の上席の同席を依頼する」などが、誰でも実行できるタスクになります。「提案のための面談に先方の上席を同席させる」というタスクは、必ず実行できるとは限りません。もちろん、これが実現できることが望ましいですが、実現できないといつまでもその「営業ステージ」をクリアできないことになります。

「標準タスク」は、一〇〇以上出すことも可能です。初回は、重要かつ誰でも実行可能なものに限定して五〇以内に絞り込むことをおすすめします。あまりに細かいタスクが増えすぎると、営業管理職による監督が煩わしくなるだけでなく、営業部員にとっても覚えにくいため業務に定着しにくくなります。まずは営業部員にこの新しい行動を定着させることが第一目標ですので、「標準タスク」は五〇程度に留めることが重要です。

図表7は、「営業ステージ」と「標準タスク」をまとめた例です。「標準タスク」が五〇程度に

「営業ステージ」と「標準タスク」の組み合わせの例

営業ステージ	標準タスク
アプローチ	・顧客リストに対して電話連絡する ・担当者から現状を引き出す。可能なら利用中の製品情報を引き出す ・担当者が抱く課題を整理する ・担当者のニーズやウォンツの合意を取る
引合い	・自社の商材についての価値を訴求する ・先方同業者の事例を紹介する ・アポの合意を取る ・アポに意思決定者などの同席を促す
訪問	・訪問のための戦術を立てて上司に確認する ・提案のためのBANTなどの要件のヒアリングをする ・自社の商材の説明をする ・他社の提案状況を確認する ・提案を受け入れていただける合意を取る
提案・見積り	・提案内容の骨子をつくり、社内で意見を集める ・提案書および見積書の作成をする ・社内で提案書および見積書の承認を取る ・お客さまとの提案日程を確定する ・提案を実行し、解決すべき必要事項を整理する ・提案に対する温度感を確認する
クロージング	・提案から3日後にその後の社内稟議の状況や解決すべき新たな事項の有無を確認する ・調整・確認事項があれば、その解決をする ・口頭でのクロージング合意を取る ・申込書・契約書の回収をする

▶図表７

なるようにまとめました。これでも結構多く感じるかと思います。

　ある「営業ステージ」から次の「営業ステージ」に移行するためには、ある段階での「標準タスク」がすべて完了していることが条件になります。

「標準タスク」を決める途中で、再び「営業ステージ」を調整したいと思うことがあります。もちろん「営業ステージ」を調整してもらって構いません。それぞれを決める作業の行き来が発生することはよくあります。これを繰り返しながら最後に、それぞれの「標準タスク」と「営業ステージ」と紐づけて整理します。

　進め方は、みなさんがいちばんやりやすい方法で柔軟に対応してください。

●初期の仕組みは三〇点くらいの完成度で十分

受注活動の仕組み化のための「営業ステージ」と「標準タスク」は、最初から完璧につくる必要はありません。最初は三〇点くらいの完成度で十分です。こう説明しても、みなさん相当な時間をかけて一〇〇点に近い完成度を求めてしまうのです。あえて強調する意味で繰り返します。最初は、三〇点くらいの完成度の仕組みで十分です。

営業部員と営業管理職の双方からのフィードバックをもらいながら、営業管理職として営業全体の活動状況が把握しやすくて、営業部員としても使いやすい、という点で改善をします。改善することが前提であれば、最初は三〇点の完成度で十分なのです。

営業部員と営業管理職からフィードバックをもらうことで、営業部員も営業管理職も「営業ステージ」と「標準タスク」をもっとよくするために真剣に考えてもらえるようになり、現場を巻き込んだ受注活動の仕組みの改善につながるためメリットがあります。

「営業ステージ」と「標準タスク」は、それをつくる人たちのものではありません。それを利用する営業部員と営業管理職のためのものです。つくることで満足しないようにしましょう。営業部員が、営業の仕組みを実行できるかどうかが大事です。実行できるかどうかは、実際にやってみないとわからないものです。

「営業ステージ」と「標準タスク」は数日をかけて大がかりに考えるよりも、数時間の営業部員へのヒアリングと、数回の一時間程度の会議で仕上げるくらいに留めましょう。

仕組みに「ヨミ」を加える

●ヨミとは何か？

ここまで「営業ステージ」と「標準タスク」を組み合わせて受注活動を仕組み化してきました。確かに「営業ステージ」が進むことで、商談の進捗状況である「進度」がわかるようになりました。「進度」が進めば、商談の受注の可能性は高くなります。しかしそれだけで売上の予測を立ててもよいものでしょうか？

ここで、ある商談の例を見てみましょう。以下のAとBのお客さまは、前述の「提案・見積り」の「営業ステージ」にあたります。

お客さまA：「だいたいどれくらいの費用がかかるか知りたいので、一度、概算の見積りをいただけますか？」

お客さまB：「社内稟議のために見積りをください」

どちらのお客さまも見積書の依頼をしている点では同じです。しかし、お客さまAは興味本位で料金を確認していますが、お客さまBは契約に向けて社内の稟議を進めています。購入に向けた社内の稟議を通そうとしているお客さまBのほうが、お客さまAに比べて受注の可能性ははるかに高くなります。「営業ステージ」という「進度」だけで商談の受注の予測をしてしまうと、このAとBのお客さまの商談を同じ「確度」で考えてしまうことになります。

この二つの商談は「進度」は同じ見積りにありますが、売上の予測を考えるうえでは別のものであると考えるべきです。仕組み化された営業活動の売上の予測の精度を上げるために、「ヨミ」という「確度」の要素を営業の仕組み化に導入します。「ヨミ」の語源は明らかではありませんが、おそらく「商談を読む（ヨム）」からきているものと思われます。

自社専用のヨミを定義しよう

ヨミは、四段階くらいにレベルを分けておくことが一般的です。ヨミの定義とは、それぞれのヨミのレベルの基準がわかるようにすることです。

図表8は、よくあるヨミの定義です。みなさんの受注活動でも、およそそのまま使えると思います。それぞれのヨミが感覚的にわかるよう、受注の確率を追記しました。確率は、あくまで参考程度に見ていただけると幸いです。

よくあるヨミの例

レベル	受注確率	定義（お客さまの反応や発言より決める）
Aレベル	90%	契約書や申込書などの記入・捺印作業が残っているが、お客さまが口頭で発注を約束してくれている状態
Bレベル	75%	当社の提案内容で社内稟議を進めている、もしくは稟議を進める準備をしている状態
Cレベル	50%	当社の商品やサービスに関心を示しており、単なる情報収集ではなく、提案として求められている状態
ネタ	20%	上記以外の状態

▶図表8

Aレベルのヨミは、最も確度が高い状態です。お客さまから口頭で発注の意思を確認できている状態であり、およそ受注が確定しています。

Aレベルのヨミは、営業部員が確実に受注すべき商談になります。

営業部員が商談の状況を確認するようになるために、受注前に必ずヨミがAレベルであるかどうかをお客さまにヒアリングするように指示することをおすすめします。商談がAレベルのヨミになるよう営業部員が日々の営業活動を工夫するようになるため、営業部員の成長につながります。

Bレベルのヨミは、お客さま側の決裁者が前向きに検討している、もしくは担当者が自社の提案内容で社内稟議や調整を進めている状態になります。数社から提案を受けていますが、およそ選定の目処がつき、あなたの会社の商材で進めてもらえる状態を指します。

Bレベルのヨミでは、価格調整や社内反対者との調整など、お客さま側に購入までの障壁があるかもしれません。このお客さま側の購入までの障壁を取り除くお手伝いをすることが営業の仕事です。お客さまにヒアリングして障壁の有無を聞き出しながら、手助けをすることで確実にAレベルのヨミになるようにします。

Cレベルのヨミは、こちら側の商材にお客さまが興味を示しており、導入に向けて提案を求めている状態です。単なる情報収集目的ではCレベルのヨミにはなりません。お客さまが希望する提案から導入への進め方、こちら側で支援できることなどを確認しながら、その商談がBレベルやAレベルのヨミになるように進めるようにします。

ネタはA～Cレベルのヨミ以外の商談を指します。ネタレベルの商談は、営業対応の優先順位は下がります。ただし、手持ちのA～Cレベルのヨミが少ない場合には、ネタレベルの商談にも接触してA～Cレベルになるよう進めなくてはなりません。お客さま側の課題を整理して、その解決に進めるための助言や提案が必要になります。

営業ステージは「引合い」「訪問」「提案・見積り」など、自社の営業部員が何をしたかによって決まります。それに対して、ヨミはお客さまの発言や反応によって決まります。つまり、営業ステージの主体は営業部員であるのに対して、ヨミの主体はお客さまなのです。ここに大きな違いがあります。ヨミは、お客さまの発言をしっかりとヒアリングしないとわかりません。

●ヨミがもたらす効果

ヨミを定義して運用することが、自社の営業力を強くすることは間違いありません。お客さまの反応や発言によって決まるという性質を持つヨミを導入することで、営業部員がお客さまの反応や発言をしっかりと回収するための質問をするようになります。つまり、営業部員が商談の「進度」に加えて「確度」を知ることになります。

その結果として、どんな行動をしたら、商談の「確度」が上がるようなお客さまの反応や発言を得られるようになるかを考えるようになります。ヨミは、営業部員の成長を促します。営業部員が成長すれば、それは自社の営業力の強化になります。

「営業ステージ」において「進度」が進んだ商談が増えると、成約につながる商談が十分にあるように感じます。しかし可能性が低い商談を積み上げているだけかもしれません。これでは、目標に対してどれだけの実績があるかわかりません。

商談の「確度」をヨミで測るようになると、自分の目標と実際の乖離がより鮮明に見えるようになります。例えば、稟議に上げてくれそうな商談が◯つあるので、今月はもっと提案・見積りにつながる商談の発掘をしないといけない、など、営業が目標を達成するためのより細かな行動指針につながるのです。

ヨミによって、受注数を増やすための営業部員の思考や行動を変えることができます。

「営業ステージ」にヨミを設定することで、重点的に対応すべき商談の優先度がわかります。同じ「営業ステージ」にある複数の商談のなかから、金額が大きかったり、具体的な時期が決まっていたり、もしくは、社内稟議中の商談などが区別できるようになるため、各営業がどの商談に注力すべきかわかるのです。

もちろん営業管理職も、営業部員に同席して商談成立をしっかりサポートすべき商談が見えてきます。商談の進め方の確認やアドバイスができるようになり、より成約数を増やすことになります。

ヨミを営業会議で活用する

ヨミは営業会議で確認することをおすすめします。ヨミを確認する会議は「ヨミ会」と呼ばれることがあります。ヨミ会は、営業全体で行っても営業部員と個別にやっても構いません。ヨミ会では、各商談の「進度」と「確度」を合わせてチェックします。月次ではなく、週次程度の頻度で確認することが一般的です。

週次でヨミ会を開催すれば、営業部員は「ヨミの一覧表」を最低でも一週間に一回は更新する必要があります。ヨミの更新頻度が高ければ、目標達成に向けたお客さまとのコミュニケーションを増やそうとする意識が働きます。少なくとも一週間に一度は、自分自身の目標に対しての差分を確認し、その差分を確認しながら次の一手を考えて営業の仕事することになります。

このように、営業部員が目標に向けた次の一手を一週間に一度は考えて実行することで、営業部員として自力で目標に向かって行動ができるようになります。つまり営業部員が自ら率先して営業成果を出せるようになるだけでなく、営業部員の成長を促すことにつながります。

ヨミ会では、進行している商談のヨミの一覧表を利用します。ＳＦＡにはヨミの一覧を表示する機能がありますので、その機能を使うと便利です。前回の会議から変更を中心として、確度、購入の時期、購入の金額の情報をもとにしながら、営業組織として、個人としての目標を達成するための次の一手を詰めていきます。ヨミ会でＳＦＡを使うことで、営業部員がＳＦＡに記録することの定着を促します。

ヨミ会では、営業部員が各商談で抱える不安や懸念材料を持ち寄り、参加者の知見とノウハウで解決する方向になるように導きましょう。次の一手という有効な打ち手がない商談は、ヨミの一覧表から削除して失注（受注に至らない商談）扱いにするよう進言してください。有効な次の一手がない商談をヨミの一覧表にそのままにすることによって、目標を達成するためのヨミ化できた商談がたくさんあると錯覚するようになり、新規のヨミ化をするための優先度や意欲がなくなってしまいます。

ヨミ会では、営業管理職から「この件、どうなっているんだ？」「気合いでなんとかしろ！」と営業部員を解決策なく責めないようにしましょう。営業部員が営業管理職から怒られることを避けるために、商談の進展がないのに、ヨミの一覧表に記載したままになっている商談が増える結果となります。

営業活動の「見える化」

見える化とはどういう意味なのか？

営業の仕組みとヨミをつくったら、次は見える化です。見える化とは、文字どおり見えるようにすることです。見える化は、チームや営業部員が実績や進捗を把握し、改善や意思決定を促すための重要な取り組みです。

見える化の有名な事例には、トヨタ自動車のカンバン方式があります。カンバンは、日本語で「看板」という意味がありますが、ビジネスやプロジェクト管理の分野で広く使われる用語で、特定の作業の状況を視覚的に管理するための手法やツールを指します。カンバンは、タスクや作業項目をカードやシールなどの視覚的な要素として表現します。これらの要素は、ボードや壁に貼り付けられ、関係者から見えるようになっています。

受注活動における見える化とは、各営業部員が各商談の「進度」や「確度」などの指標を視覚的な要素として表現し、それを当事者および関係者から見えるようにすることです。社外で発生するため、社内にいる営業管理職からは見えないという性質を持つ営業活動には、見える化が欠かせません。

ここまで、営業活動を仕組み化して「進度」が見えるようになり、そしてヨミによって受注活動の「確度」がわかるようになりました。「進度」と「確度」が揃った受注活動が見えることで、営業管理職として自社の営業活動の全体を把握できるようになります。

そもそも「見える」という人間の能力には限界があります。受注活動の全体を把握するためには、とにかく見えないこととの戦いの連続と言えます。仕組み化した営業活動を見えないままにしておくと、営業現場は崩壊していきます。特定の競合会社に負け続けているとか、顧客のニーズが変わっているなどの市場の変化を見落とす可能性があります。

営業活動を見えるようにして、問題を発見し、それを解決する流れをつくることが売上一〇億円を目指す小さな組織では必要なのです。

●見える化で営業部員と営業管理職が成長する

受注活動の見える化をすることで、営業部員は例えば「先日、見積りを提出したA社に社内の反応を確認する電話を忘れていた」といったように、誰でもできる「標準タスク」のやり忘れに気づくようになります。こうした気づきによって、自分自身の行動を改善することが可能になり

気づく
営業の業務のなかで、自ら改善すべきことがわかる
考える
改善すべき事項の改善方法を自ら考える
行動する
考えた改善方法を実践する

▶図表9

ます。

　気づきは「どうして、このタスクを忘れてしまうのか」「どのように改善していくべきなのか」というような営業部員の考える力を生み出します。受注活動の見える化によって、営業部員が自ら考えるようになり、考えた結果としての行動を生み出し、その行動によって成果を得ることで営業部員が成長します。受注活動を仕組み化し営業部員としてやるべきことを定義して、その実行状況を見える化することによって、営業部員が、気づき、考え、行動し、そして営業部員の成長を促すのです（**図表9**）。受注活動の仕組み化と見える化が営業部員のための研修代わりになります。

　仕組み化した受注活動を見える化することは、営業管理職の成長にもつながります。

営業管理職の仕事は、与えられた目標の達成と、その目標を達成するための業務の改善です。受注活動が仕組み化・見える化されることで、目標と現状の差が見えるようになります。例えば「本来であれば○社ほど訪問しなければならないが、今月はその半分しかできていない」「提案数が前月の三分の二になっている」など、目標との差が見えるようになります。ここでの訪問や提案は仕組みですので、営業がやらないという理由はありません。差が見えることで、はじめて気づきとなります。営業管理職が気づきをきっかけにして、営業部員に指示や指導をすることで目標達成への助言ができます。

営業管理職は、言葉を通じて営業部員に指示や指導、コーチングをしなくてはなりません。言葉にして伝えるためには、営業部員の育成のために、営業管理職の過去の成功体験の要素を構造化したり概念化したりする必要があります。これまでの自分の考えを見つめ直し、相手に伝わるような説明や説得が必要になります。

営業管理職は見える化によって営業部員の受注活動から気づきを得、過去の自分の成功体験とつき合わせて考え、そして言語化して伝えます。この一連の行動によって、営業管理職も成長をします。そもそも「見える化」による気づきがなければ、営業管理職は成長できません。

●仕組み化と見える化に最適なＴｏＤｏリストの活用

仕組み化と見える化には「ＴｏＤｏリスト」というツールを使うことをおすすめします。

ToDoリストは、ノートへの記録やタスク管理ツール、スマートフォンのアプリなど、さまざまな形態があります。個人の日常生活から仕事でのプロジェクト管理やチームでのタスク管理などの幅広い領域で使われています。営業部員もToDoリストには馴染みがあるでしょう。

ToDoリストは、頭のなかで抱えている仕事を一覧にして優先順位を決めることで本人の心理的な負担を減らすだけでなく、手元にある仕事の一覧の優先順位を決めてから一気に仕事をこなすことができるため仕事の生産性が向上します。また、決められた仕事のやり忘れの防止などに役立ちます。

営業部員にとっては、今日の自分がやらなくてはならない「標準タスク」の一覧がわかるため、生産性の向上にもつながります。通常、営業部員は「今日はどの仕事から始めようか」「これが終わったら、次に何をやればいいのか」などと考える時間があります。日中のお客さまに接触できる時間帯に考える時間が増えれば増えるほど、営業の生産性は下がります。ToDoリストを見ながら、次々に「標準タスク」をこなすことで、営業部員の生産性は上がるのです。

受注活動の仕組み化と見える化を目的としてToDoリストを使うと、商談ごとのToDoリストの一覧で営業活動の仕組みを理解しやすくなるだけでなく、営業部員の「標準タスク」の実行と未実行が見えるようになります。営業日報では、実行したものだけが報告されて未実行の「標準タスク」は報告されません。営業日報は受注活動の仕組み化と見える化においては不十分なのです。ＴｏＤｏリストでは実行および未実行の両方が見えるようになります。

ＴｏＤｏリストは、市販のタスク管理ツールやスマートフォンのアプリでも対応可能ですが、多くのＳＦＡにはＴｏＤｏリストという機能があります。営業活動の利用に特化したＴｏＤｏリストのため、本書で紹介する営業の仕組み化には最適です。

営業活動でのＴｏＤｏリストを使うためには、仕組み化された営業プロセスにおいて特定の「営業ステージ」で設定した「標準タスク」をＴｏＤｏリストとして登録するだけです。営業部員は、設定されたそれぞれの「標準タスク」を完了したら、ＴｏＤｏリストのチェックを入れることでその「標準タスク」を完了します。

ＳＦＡを活用しよう

●ＳＦＡとは何か？

ここで、あらためてＳＦＡついて説明します。ＳＦＡはＣＲＭの一部の機能を指しますが、本書においてはこの両者を同じものと見なしていただいて支障はありません。そのため本書では、

ＳＦＡとＣＲＭをまとめてＳＦＡと表現します。

ＳＦＡとは、営業活動の効率を情報技術の側面から実現するためのＩＴシステムを指します。最近ではクラウド型のＳＦＡが多く、営業部員がブラウザからＳＦＡを使うことができます。ＳＦＡには、お客さま連絡先情報の管理、過去の取引履歴の記録、商談情報の進捗や状態の可視化、営業活動に必要なタスクや予定の管理、営業活動の進捗や結果の報告と分析、などの代表的な営業管理のための機能があります。

ＳＦＡは小さな組織にとって比較的手軽なものもあれば、機能が豊富で高額なものがあります。売上一〇億円の組織を目指すためには、営業の仕組み化と見える化が重要であることは述べてきました。仕組み化と見える化のためにＳＦＡを活用することを考えれば、営業部員の利用が定着することが成功の要件となります。営業部員の利用の定着を最優先するなら、操作がかんたんでシンプルなＳＦＡの導入をおすすめします。機能が豊富なＳＦＡは、あれこれとたくさんのメニューがあるため画面操作が複雑になり、営業部員の利用定着の妨げになるからです。

●営業部員の利用が定着するＳＦＡの導入の流れ

ＳＦＡを導入したら「ステージ機能」と「ＴｏＤｏ機能」を活用しましょう。この二つの機能を使うことで、営業プロセスの仕組み化と見える化をＳＦＡでできるようになります。

ＳＦＡのステージ機能で、みなさんの「営業ステージ」を設定します。その「営業ステージ」に合わせた営業部員が必ずやるべき「標準タスク」をＴｏＤｏとして設定します。

図表10は、筆者の会社で開発しているＳＦＡの『Kairos3 Sales』の「ステージ機能」と「ＴｏＤｏ機能」の設定画面です。ＳＦＡで「営業ステージ」に応じて「標準タスク」を自動ＴｏＤｏ設定として登録するだけで、およそ各営業部員が商談の情報を入力できるようになります。ＳＦＡを運用すれば、ＴｏＤｏ機能により、営業部員の「標準タスク」の実行状況の仕組み化と見える化が同時にできるようになります。

営業管理職は、営業部員がある商談でやり残しているＴｏＤｏがあれば、該当する営業部員に実行を促します。これは、ＳＦＡ導入後に営業管理職に真っ先にやってもらいたいことです。ＳＦＡを導入して営業部員のＴｏＤｏを眺めると、本当にたくさんのやるべきことをできていないことがわかります。営業管理職のみなさんは心折れることなく、そして、営業部員に嫌がられることなく、漏れなくＴｏＤｏをやってもらう工夫が必要になります。

ＴｏＤｏを漏れなく営業部員にやってもらうことはとても重要です。なぜなら、仕組み化は、その仕組みが営業部員によって確実に実行されていることが前提になります。やることをやっていない状態では、それは仕組みとは言えません。仕組みというよりも、ただの理想であり、絵に描いた餅に過ぎません。これから売上一〇億円を目指す営業組織に育てたいのであれば、営業部

Sales
ステージ設定
案件のステージとそれぞれの確度を入力してください。
ステージ名
カラー [reset]
自動ToDo設定
受注
#000000
2件
50-クロージング
#454545
6件
<ステージ未定義>
#666666
40-提案見積り
#7D7A7B
3件
<ステージ未定義>
#858585
30-訪問
#919090
4件
<ステージ未定義>
#9C9B9B
20-引合い
#B0B0B0
3件
<ステージ未定義>
#C2C2C2
10-アプローチ
#C7C7C7
5件
失注・延期
#E0E0E0
1件
◁ 設定トップへ戻る
設定を保存 ▷
© 2012-2023 Kairos Marketing inc.

▶図表10

員全員がＴｏＤｏを確実にこなしていく文化を醸成しないといけないのです。この文化の醸成が営業リーダーの仕事になります。

ここまで説明してきたとおり「営業ステージ」と「標準タスク」をＳＦＡに設定して自社の営業プロセスを仕組み化できたら、次にヨミも定義します。営業のＴｏＤｏの実行だけでなく、ヨミの更新の頻度も細かくチェックしていきましょう。ヨミに関しての商談情報の更新の頻度が上がれば上がるほど、営業は商談成約に向けて、自分のタスクの優先度をつけながら、自己管理していけることになります。

営業会議でヨミ表を使うときには、ＳＦＡの画面を出席者で共有しながら会議を進めるようにしましょう。更新していない商談があった場合には、営業部員を厳しく指導します。ＳＦＡに記録した営業活動以外を人事評価の対象外にするくらいに厳しいルールを設定しても構わないと思っています。そもそも社内のルールを守れない営業部員が、お客さまとの約束をしっかりと守るとは思えません。

ＳＦＡを導入したら、このように営業の実務を通じて営業部員がＳＦＡへの入力が定着をするような工夫をしましょう。

ＳＦＡを導入したら、営業部員が確実にＳＦＡで「営業ステージ」や、ＴｏＤｏの実行記録をしていけるよう、かんたんな研修を実施します。営業部員向けに入力マニュアルといった書類を用意することも重要ですが、書類だけでは営業部員の全員が必ず読んでＳＦＡに決められたとおりに入力してくれるとは限りません。まずは、マニュアルを読み合わせる形でも構いませんので、一時間程度の短いものでもＳＦＡの使い方に関する研修をしましょう。研修を通じて営業部員にＳＦＡの入力の方法を教えるだけでなく、教えたなかで疑問に思っていることを解消することも大切です。

各商談の失注・受注の理由を記録しよう

ＳＦＡでは商談の履歴を記録することが大事ですが、各商談の受注や失注の理由を明らかにしてそれをＳＦＡに残すことも大切です。売上一〇億円を目指す営業組織をつくるためには、会社としての営業力を高めるために、受注や失注の理由が重要になります。

受注や失注の理由が明確になると、お客さまのニーズの変化や市場における競合各社の動きを見える化できるようになります。受注理由からは、自社の強みがわかります。自社の強みは、思っていること以上にあることが少なくありません。当社では、「使いやすい」「わかりやすくていねいなサポートを提供してもらえそうだと感じた」「営業の対応がよかった」という受注理由を多く見かけます。これは、創業当初から大きく変わりません。実は、創業当初はここが当社の強みであるとは思ってもみませんでした。受注の理由をSFAに記録するようになってから徐々にわかったことです。もちろん、いまでは自社のテッパンの営業トークとして活用しています。

一方で、失注理由からは、改善すべき自社の弱みや競合の営業戦略が見えてきます。ときには大幅な値引きをしたり、競合で働く営業部員の特徴などまで失注の理由から見えてくることがあります。特に商品の機能や効用については、商品開発レベルから取り組まなくてはならない自社の課題となります。

受注や失注の理由は可能な限り、その情報をもとに受注活動を改善できる具体的なレベルでの回収を目指しましょう。例えば、受注や失注の理由が「価格が安かったから」だとします。実際は、「競合のどこと比べて安かった」のか、もしくは「先方の持っている予算に比べて商品の価格が安かった」からなのか、「商品の機能や効用の価値から費用対効用を考えたときに安かった」のか、など価格一つをとってもさまざまな背景があります。その理由によって、今後の営業戦略に影響を与えることになります。

このようにすぐに実行可能なレベルにまで、受注や失注の理由を回収しなければ、自社の強みや弱みの分析とその分析から導き出される改善のための施策に結びつきません。営業部員には、この背景と分析の結果を常に共有しながら、受注や失注の理由を回収するときには、「なぜ」「どうして」を探りながら、お客さまに対して詰問にならない程度、不快にさせない程度に理由を回収することをおすすめします。

受注の理由、失注の理由のどちらもお客さまから確実に回収できるとは限りません。お客さまからすれば、それを伝えるメリットがないため、教えてくれないこともよくあります。

商談の途中の段階で、「もし、他社をお選びの際には、当社にもその理由をご共有いただけないでしょうか?」などとお願いしておくと、受注や失注の理由の回収できる割合が増えます。また、誠実かつ実直にも感じますので、成約率がひょっとしたら上がるかもしれません。

受注や失注の理由の回収は、受注活動の改善にとても役に立ちます。これらを営業部員がSFAに記入する際に運用するようにしてください。受注や失注という「営業ステージ」に対しての「標準タスク」として設定しましょう。

営業目標の設定と改善の方法

●コミット型とチャレンジ型の目標の使い分ける

営業目標を設定することで、目標と実状の乖離を見ながら、目標達成に向けた工夫をするようになるだけでなく、目標を達成したときの営業部員のモチベーションを高める助けになります。

目標には、コミット型とチャレンジ型の二つの型があります（図表11）。目的や状況に応じて使い分けましょう。

コミット型では、確実に達成すべき目標を設定します。成長領域以外で事業を営んでおり、売上成長よりも利益の確保が重要であるような場合には、コミット型の目標を設定します。コミット型の目標とは、必ず達成しなければならない数字であり、実績が目標を下回る場合には、その原因を追究して対応をしながら確実に目標を達成します。コミット型のデメリットには、ある期間で目標を達成してしまうと、それ以上の成果を追う動機が薄れてしまうことがあります。

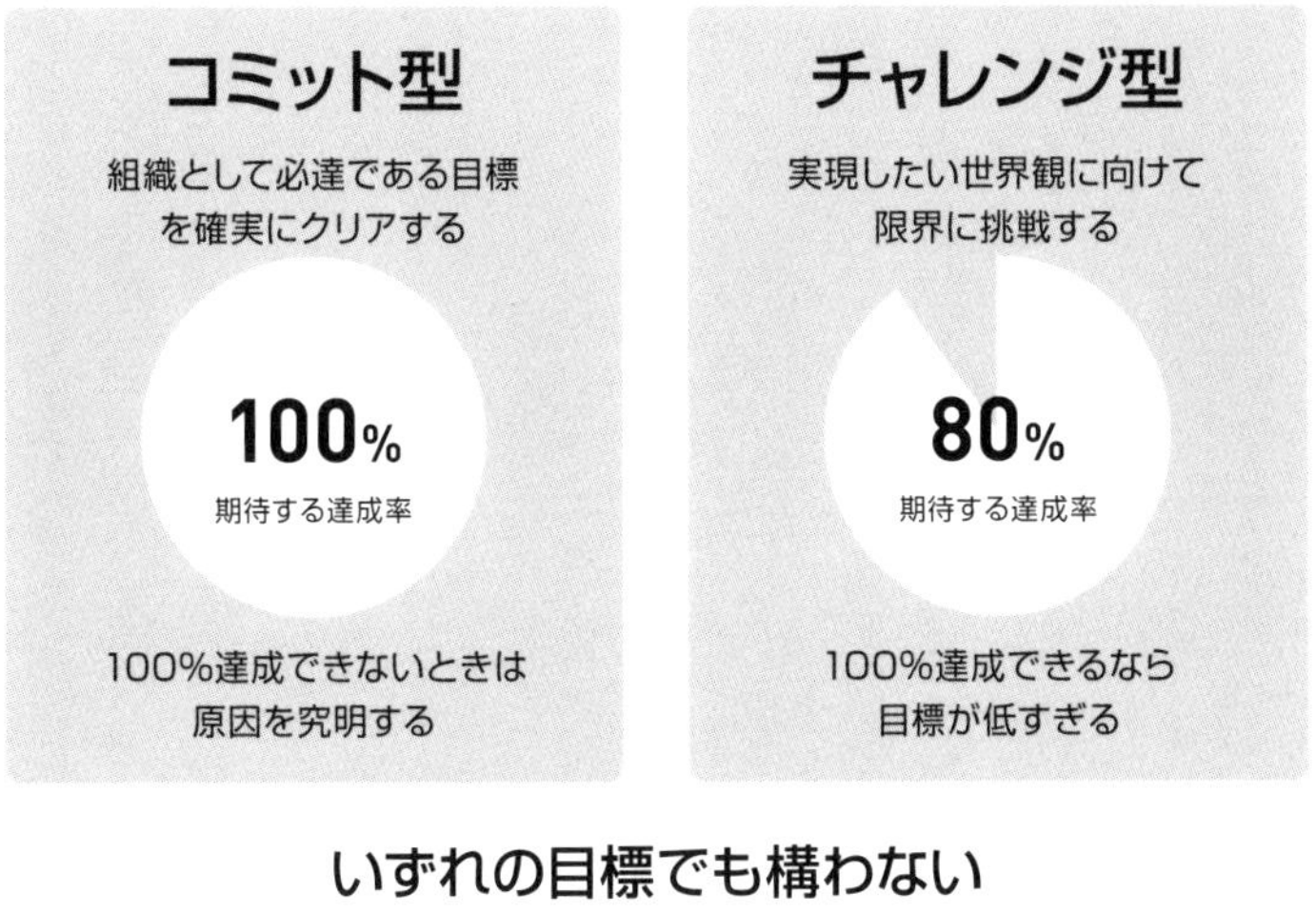
コミット型
組織として必達である目標
を確実にクリアする
100%
期待する達成率
100%達成できないときは
原因を究明する
チャレンジ型
実現したい世界観に向けて
限界に挑戦する
80%
期待する達成率
100%達成できるなら
目標が低すぎる
いずれの目標でも構わない

▶図表11

チャレンジ型の目標とは、コミット型の数値に対しておよそ二五パーセント程度の数字を上積みします。つまり目標に対しておよそ八〇パーセント程度しか達成できないことが前提になります。しかしながら、チャレンジ型の高い目標を設定することで、営業部員のやる気を促進することが目的です。新規立ち上げの事業や成長中の事業で高い目標を設定したい場合には、チャレンジ型の目標を設定することで営業部員のやる気に火をつけます。売上一〇億円を目指す小さな組織では、チャレンジ型の目標を設定することになるでしょう。

チャレンジ型の目標において、実績と目標の乖離がある場合には、より成長するためのアイデアを創出します。とにかく新たな事業機会や営業機会を創出するために知恵を使うことが重要になります。

このように、営業の目標には二つの型があります。どちらの目標でも実績と目標においてズレが生じた場合には、その原因を探し出し解決するための施策を検討して、それを実行します。そもそも目標がなければ、営業活動の改善につながりません。だから、営業活動において目標を設定することがとても大切なのです。

いずれの目標においても、実績が目標から二割以上乖離してしまう場合には、目標を再設定しなくてはなりません。実績と目標が二割も乖離するような場合では、そもそもの目標の設定が間違っていると認識すべきです。実績が目標を二割以上上回る場合でも、下回る場合でも、正しい目標を設定できたとは言えません。

●目標達成を継続するためのＫＰＩ

営業の目標を継続して達成するためには、受注活動における受注の前工程の営業ステージに滞在する商談数が十分にあることが条件になります。受注数や受注金額が営業活動の結果指数であることに対して、前工程の営業ステージに滞在する商談数などの数字は先行指数となります。

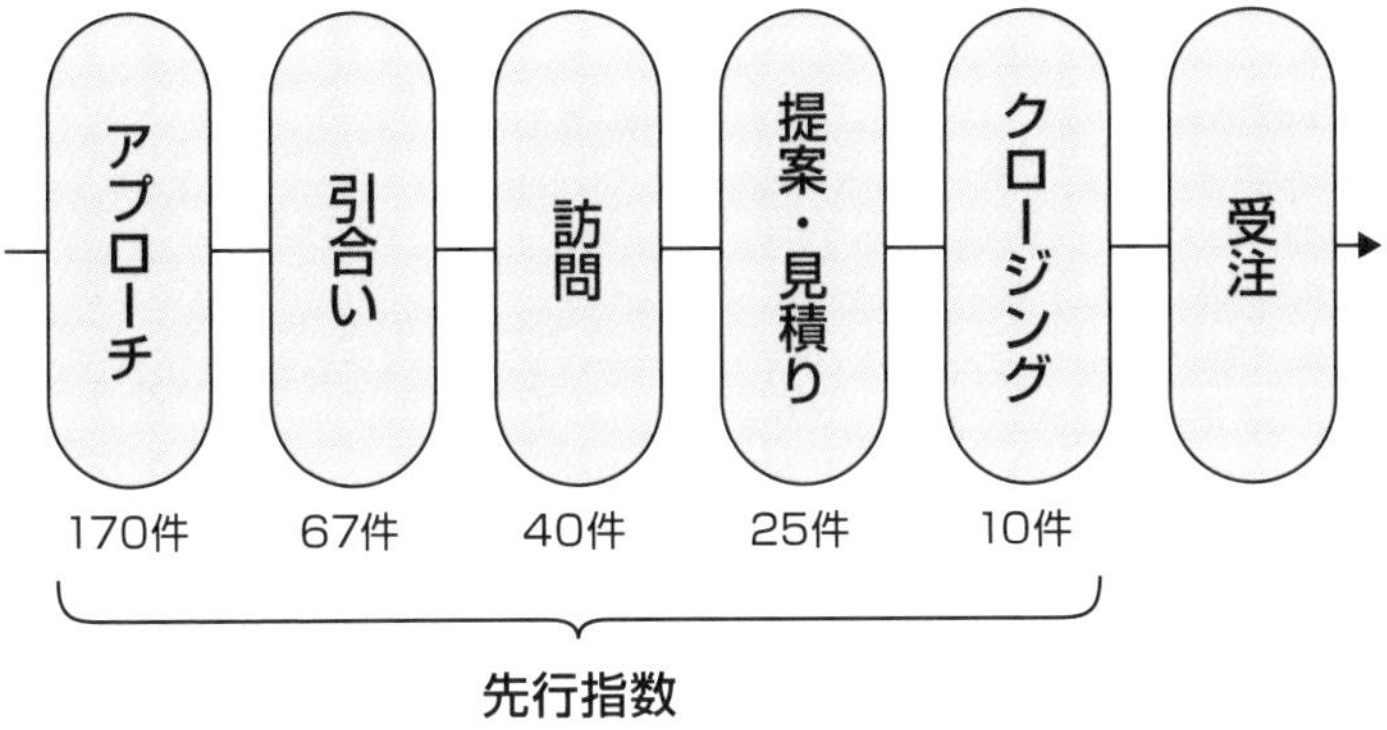

▶図表12

先行指数にあたる数字としては、Aレベルのヨミや B レベルのヨミなどのヨミ化した商談数や、ヨミ化の手前に蓄積する商談候補数や提案数、顧客訪問回数などがあります。これらの先行指数をKPI（Key Performance Indicator：主要業績評価指数）として設定します。もちろん、目標であるKGI（Key Goal Indicator）は売上や受注件数であり遅行指数です。先行指数であるKPIは、KGIを達成するために達成しておくべき数字です。そのため、今月の目標が達成できるかどうかを確認するためにKPIを営業数字として確認していきます（**図表12**）。

KPIに設定する項目は、努力すればそのKPIを達成できるものであるべきです。また、そのKPIを達成することでKGIという目標を達成できる可能性が高いものになります。営業という行為では、お客さまに断られることが多く、そもそもお客さまが買いたいと思っていなければ売れないという特徴があります。営業には、どうしても確率の側面があります。そのため、営業の訪問数や提案数を増やすことで、いま買おうと思っているお客さまに出会える数を増やすことが基本となります。営業では、訪問数や提案数などの行動に関数ＫＰＩを設定する理由がここにあります。

トップセールスと呼ばれる人たちは、契約数だけでなく、行動数でも他のメンバーを圧倒しています。これは、ほぼ例外のない特徴です。営業の成果は、行動数と正の相関関係にあることは確実です。

●営業の改善は分析から計画まで落とし込む

売上一〇億円を目指す営業組織をつくるためには目標を定めると同時に、受注活動の改善を続ける必要があります。短期間で受注活動を改善するためには、受注や失注の分析から始めることをおすすめします。受注理由のなかで「生産ラインを見学した際に、社員が真面目に働いている様子が信頼の醸成につながった」「実際にサンプルを見てもらうことで、お客さまが実物のイメージを持てた」などは、すぐに別の商談の営業トークや商談の展開に活用ができるからです。

例えば、四半期に一度、受注理由や失注理由の分析をし、前回と比べて受注や失注の理由に変化があったかどうかを確認します。変化に着目することがポイントです。四半期程度の周期であれば、受注活動の改善の様子が見えるだけでなく、市場の変化の流れも見逃さない、適切な間隔であると見ています。

これまで数多くの受注や失注の分析を見てきましたが、多くは表面的な分析で終わり、「〇〇ということがわかりました！」という報告になりがちでした。売上一〇億円の営業組織をつくるためには、分析が研究結果のようにわかったことのまとめだけでは不十分です。

受注や失注の理由を分析して、分析からわかったことを対策や行動に落とし込み、その対策や行動がいつまでにどの優先順でやるのか、という具体的なところまで落とし込まなくてはなりません。先ほどの「生産ラインを見学した際に、社員が真面目に働いている様子が信頼の醸成つながった」という営業トークを別の商談でも全営業部員が実行する、という対策もしくは行動を決めたなら、いつまでに営業台本を完成して、いつまでに営業ロープレ（ロールプレイング）をして、各商談でお客さまに声をかけた履歴を記録し、どのお客さまがいつ生産ラインを見学するかの予定管理表を作成する、など具体的な行動に落とし込む必要があります。ここまでやらないと、受注活動の改善にはつながりません。

分析は、ＰＤＣＡの一環です。ＰＤＣＡは、Plan-Do-Check-Action（計画・実行・確認・対策）の頭文字を取った管理手法で、継続的な改善を行うためのサイクルを表すものです（**図表13**）。

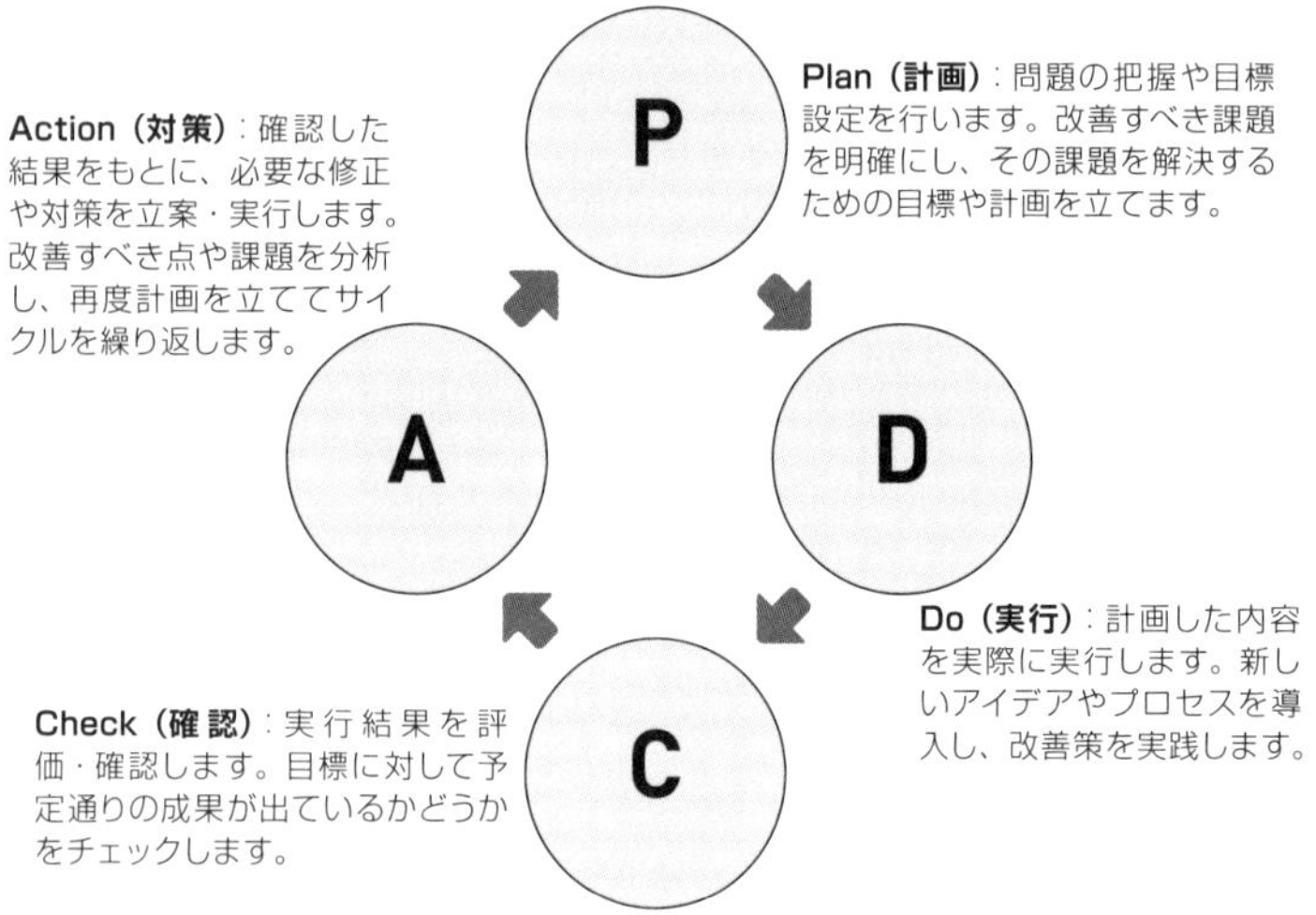
P
Plan（計画）：問題の把握や目標設定を行います。改善すべき課題を明確にし、その課題を解決するための目標や計画を立てます。
D
Do（実行）：計画した内容を実際に実行します。新しいアイデアやプロセスを導入し、改善策を実践します。
C
Check（確認）：実行結果を評価・確認します。目標に対して予定通りの成果が出ているかどうかをチェックします。
A
Action（対策）：確認した結果をもとに、必要な修正や対策を立案・実行します。改善すべき点や課題を分析し、再度計画を立ててサイクルを繰り返します。

▶図表13

受注理由や失注理由の分析は、ＰＤＣＡのＣ（確認）にあたります。

分析からわかったことだけをまとめても、改善にはつながりません。ＰＤＣＡで、Ｃ（分析）に続く、Ａ（対策）とその対策を具体的にどんな順番でいつ実施するかを示すＰ（計画）に落とし込む必要があります。ＣからＡ、そしてＰまでやることが分析なのです。

ＰＤＣＡのなかでＰまで実行できると、各営業部員がＤ（実行）をするだけの状態になります。営業の改善とは、Ｃ（確認）に始まり、Ａ（対策）を考えて、そして優先度を含むＰ（計画）に落とし込むことを忘れないでください。

●事例を活用して営業力を引き上げる

最後に営業力の底上げのために、短時間で改善できる「事例の活用」を紹介します。

そもそもお客さまは商品を買っているというよりも、実は、その商品を買った後でのイメージを買っています。商品を購入することによって自社がどのように変わるのかをイメージできることで、最終的な購入の判断をしているのです。購入前にはわからない購入後のイメージを商談のなかでお客さまに持っていただくことが受注への近道です。

商談中のお客さまに購入後のイメージを持っていただくための最強の営業ツールが事例になります。事例には、購入前のお客さまにはイメージしにくい、購入後の成果や効果がまとめられています。

特に商談中のお客さまと事例のお客さまが、地理的に近くの会社である、業態がほぼ同じ、従業員数が近い、などの共通点がある場合は効果が絶大です。心理効果かもしれませんが、共通点のある事例は、導入後のイメージを強く植えつける効果があります。「これなら自社でもできそうだ」「当社で導入しても同様の効果が得られそうだ」と思っていただくことが大切です。

事例は、お客さまへのヒアリングにも効果を発揮します。

誰でも、課題や問題点についての質問をされれば心地よくは感じないものです。「御社の課題は何ですか？」などと商談で単刀直入に聞かれると、いい気がしないお客さまもいることは事実です。問題点を指摘されているように感じてしまい、営業部員のヒアリングを不快に感じ、質問になかなか答えてくれなくなる体験は、営業経験がある人なら誰でも経験しているでしょう。

事例にあるお客さまの導入前の課題を説明した段階で、「御社でも同じようなことはありませんか？」と質問すると、お客さまの受け取り方が変わることがあります。自分たちだけが抱えている問題ではないことがわかり安心感が生まれ、本音を語ってくれることや、自社の課題を話すことの抵抗感がなくなるケースがあるのです。事例は、お客さまの課題のヒアリングにもこのように大きな効果があります。事例を商談でうまく使うことで、まだ経験の浅い営業部員も上手にお客さまへのヒアリングができるようになるのです。

事例は受注活動にとって強力な営業ツールになりますので、日頃から事例をたくさん集めるようにしておきましょう。お客さまや業界によっては、事例公開が難しい場合もあります。その場合でも、お客さま名を伏せて内容を展開できないか、などの確認をできるだけ取るようにしましょう。

第3章

小さな組織の新規開拓のマーケティング

新規開拓のためのマーケティングの仕組み

●社内に散在するお客さまの名刺を集めて、デジタル化する

小さな組織では、人材不足のために新規開拓がおろそかになりがちであることは前の章でも述べてきました。そこで従来の営業活動を分業して、新規開拓のためのマーケティングと受注活動に分けることをおすすめしてきました。

ただし、分業は、小さな組織の人材不足の問題を解決しません。そのため小さな組織のマーケティングでは、やるべきことを絞り込むと同時にＩＴツールを活用して業務の効率を上げることが必要になります。

新規開拓のためのマーケティングは、業界や取り扱う商品によってやり方は確かに変わりますが、多くの共通点があります。つまり、基本的な部分は仕組み化できるのです。新しい見込みのお客さまを集客して、そこから商談につながる見込みのお客さまを発掘する流れになります。

はじめてマーケティングの組織をつくるときは、まずは社内に散在するお客さまの名刺を集め

て、デジタル化することから始めます。続いて、デジタル化したお客さま情報に対してメールで接触を試みます。送ったメールの反応をＩＴツールで確認しながら、いますぐ商談につながりそうな見込みのお客さまを探します。そして、ここまでの一連の流れをＩＴツールで仕組み化します。これは見込みのお客さまを「発掘」するためのマーケティングの基盤のようなもので、真っ先に取り組むべきことなのです。見込みのお客さまを発掘する仕組みがないのに集客のための広告宣伝費用をかけると、広告宣伝費の無駄遣いになることは容易に想像ができるでしょう。

マーケティングの基盤ができあがったら、新しいお客さまの名刺を獲得するためのマーケティング施策をしましょう。小さな組織にとって最も典型的なマーケティング施策は展示会への出展になります。展示会への出展は、展示会の主催者が集客をしてくれるので、業界での知名度が低い小さな組織のマーケティングと相性がいいのです。

展示会以外にも、いくつかのマーケティング施策があります。ただし、いくつかに限定するようにしましょう。ヒト・カネ・モノといった経営資源に限りがある小さな組織では、多くのマーケティング施策に手を出さずに、典型的なものから順番に手がけていきます。戦略は「やらないことを決める」とも言われますが、小さな組織ではまさにこれを実行しなくてはなりません。

このように、まずはマーケティングの基盤となる見込みのお客さまの「発掘」の仕組みをつくり、次に新規の名刺を集める「集客」を行っていきます（88ページの**図表14**を参照）。

●見込みのお客さま名簿つくる

まずは、見込みのお客さまのデータベースをつくります。本書では「デジタル顧客カルテ」と呼ぶことにしていますが、その理由とデジタル顧客カルテの詳細は後ほど詳しく説明します。

社内に散在するお客さま情報をデジタル化してまとめる作業はIT用語で言うと、データベース化することにあたります。お客さま名簿は通常、お客さまの連絡先の情報になりますが、最近のITを活用したお客さま名簿では、お客さまの連絡先に加えて、過去の購入履歴や商談履歴、展示会来訪などのマーケティング施策としての接触履歴まで情報として保存します。

MAツールやSFAツールのように、見込みのお客さま名簿をつくることが得意なツールがあります。小さな組織では、見込みのお客さま名簿をExcelでつくって管理するよりも、MAツールやSFAツールを使って管理したほうが人手がかからず、結果として効率がよくなります。

何年か事業を営んでいる企業なら、社内に必ず数百枚の名刺があるはずです。まずは、社内にある数百枚の名刺にあるお客さま情報をデータベース化することから始めましょう。

メルマガは小さな組織にとって最強のツールである

次に、「デジタル顧客カルテ」にある見込みのお客さまに、メールで自社の商品やサービスに関する情報を届けます。メールを一斉に送る行為を本書では「メルマガ」と呼ぶことにします。メルマガはメールマガジンの略で、定期的に一斉配信するメールのことを指します。本書のマーケティングでは、マガジンとは少し違う特性を持つメールを送ることになりますが、みなさんには、本書の仕組みをよりよく理解していただくためにメルマガと覚えていただきたいと思っています。

メルマガのメリットは、一度に多くのお客さまに情報をお届けできることと、ダイレクトメール（DM）などの紙媒体を使うことに比べると費用が数百分の一程度に安いこと、お届けするまでにかかる時間が圧倒的に短いことなどがあげられます。

メルマガを送ることで、見込みのお客さまからメルマガに返信をいただいて、すぐさま商談になることもあります。筆者は当社を立ち上げるときに、これを幾度となく体験してきました。当社のお客さまのなかにも、同じような事例がたくさん見られます。特に、社長やベテランの営業部員が持っている名刺の連絡先から返信をいただくことが多い傾向にあるようです。社長やベテラン営業部員が持っているお客さまの名刺は、まさに宝の山です。メルマガで、宝の山を商談に変えるべきなのです。

メルマガに返信をもらえなくても、メルマガを見てもらうことでメルマガの送信元の名前だけでも覚えてもらえる効果があります。見込みのお客さまに対して露出の機会があるだけでも、メルマガは十分にその役割を果たしています。業界で認知が低い小さな組織のマーケティングは、メルマガが比較的費用が安い効果が期待できる手法の一つです。

●商談につながる見込み客を発掘する仕組みをつくる

みなさんもメルマガを受け取った経験があるでしょう。メルマガで紹介されている商品に興味があったとしたら、そのメルマガに返信するでしょうか？　ほとんどの人がメルマガに返信をしないでしょう。しかし、メルマガに返信をいただかなくても、商談につながる可能性のある見込みのお客さまが多くいるのです。

そのような潜在的な見込みのお客さまを「デジタル顧客カルテ」のなかから探し出す仕組みがあると、新規開拓のマーケティングが効率よくできるようになります。具体的には、個々の見込みのお客さまのメルマガの開封、メルマガ開封後にみなさんのホームページを見ていただいた記録などを参考にしながら、メルマガをお届けした「デジタル顧客カルテ」のなかから「いますぐ客」を探し出す仕組みをつくる必要があります。これを実現するＩＴツールが、ＭＡツールです。小さな組織でも新規開拓を目的としたマーケティングでは、ＭＡツールを使うことが一般的になってきました。

MAツールで「いますぐ客」の候補ランクの上位になる見込みのお客さまに対して受注活動をします。このようにして、常に「デジタル顧客カルテ」から見込みの「いますぐ客」を探し出す、いわゆる商談を「発掘」する仕組みをつくっておくのです。

MAツールには、月額数十万円の海外製のプロ仕様のものから、はじめてでも使いやすい月額数万円のものまでさまざまあります。小さな組織ではプロ仕様のものではなく、必要な機能があり、かつ小さな組織でも使いこなせる月額数万円のものを選びましょう。

はじめてMAツールを選ぶときは、自社にあったMAツールを選ぶことが重要です。実演デモを見せてもらって画面や操作感を確認し、試用をさせてもらいましょう。当社のMAツールは『Kairos3 Marketing』です。日本の小さな組織でも、すぐに使いこなせることを目指して自社で開発しました。これまでに、二〇〇〇以上の導入の実績があります。

新しい名刺を集める施策は展示会と小冊子

見込み客の発掘の仕組みができたら、展示会出展などのイベントを通じて、新規の見込み客の名刺を獲得する集客を手がけましょう。**図表14**における集客の部分になります。

小さな組織では、人員不足に悩まされているだけでなく、マーケティングの費用も十分ではありません。そのため、投下したマーケティング費用を売上として回収できるようにするため、まずは見込み客を発掘するための仕組みをつくる必要があります。本書では、「デジタル顧客カル

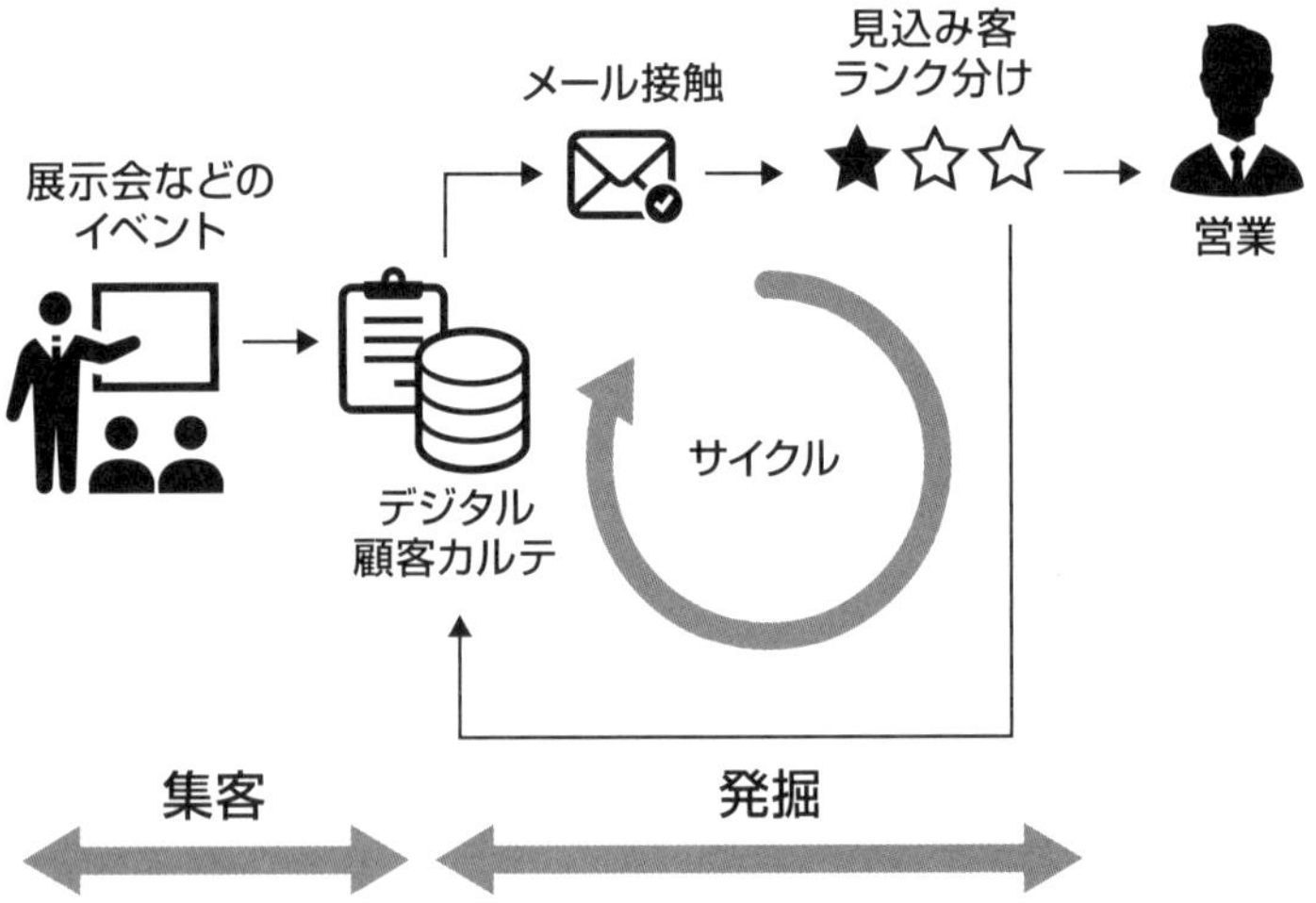

▶図表14

テ」と「メルマガ」として紹介してきました。見込み客を発掘する仕組みができあがったら、次に、その仕組みに新たな名刺情報を取り入れるためのマーケティング施策を始めます。

先述のように、小さな組織にとって新しい名刺を獲得する集客施策の代表格は展示会です。展示会はその主催者が来場者を集客してくれるので、業界の認知が低く、新規開拓力に欠ける小さな組織やまだあまり知られてない商品を取り扱う企業にとって、最も効果が見込める施策の一つになります。取り扱う商品に合うテーマ、もしくはその商品を買っていただけそうな来場者層が見込める展示会を選んで出展します。

展示会のブースでは、来場者と対面で商品の説明や商品のデモンストレーションをしながら、来場者の興味関心を引くことができます。

展示会以外にも、インターネットを活用した集客の手法がいくつかあります。業界における認知がそれほど高くない小さな組織には、「小冊子」の活用をおすすめします。

小冊子とは、お客さまが購入を検討するために必要な知見やノウハウなどの役に立つ情報をまとめた電子書籍（PDF）です。小冊子を自社のホームページに置きます。小冊子を見込みのお客さまがダウンロードするときに、見込みのお客さまの会社名、氏名、電話番号、メールアドレスなどの連絡先情報を入力してもらう仕組みをつくります。この仕組みは、後に説明するMAツールを使います。

できるだけ多くの見込みのお客さまの連絡先情報を手に入れる獲得するためには、見込みのお客さまにとって役に立つノウハウやデータを惜しみなく小冊子を通じて提供することが成功の要因になります。

このようなインターネットを活用した集客は、市場での認知が低い商材ほど力を入れるべきです。ただし、どのインターネットを活用した集客でも同じことが言えますが、この施策もいきなり爆発的に伸びることはありません。少しずつ地道に集客力を伸ばしていくことになります。インターネットを活用した集客は、我慢と忍耐が必要な施策です。ちょっとやってみたけどまったく効果がなかったと思わないよう、コツコツと続けてください。筆者の経験では十分な成果が出るまでには、半年から一年はかかります。インターネットを活用した集客のマーケティング施策は、他と比べて費用対効果がとても高い施策です。インターネットを活用したマーケティング施策がうまくいくようになると、少ない費用で集客ができるようになります。だからこそ、コツコツと続けることが重要なのです。

デジタル顧客名簿（カルテ）をつくろう

●営業DX時代の「デジタル顧客カルテ」の重要性

「デジタル顧客カルテ」とは、医療分野におけるカルテをイメージした当社の造語です。なぜ、カルテなのでしょうか？

医療分野におけるカルテは、患者の名前や年齢などの個人を特定するための情報に加えて、過去の医師の診断に関する情報が記録されています。カルテに書かれた医師の過去の診断を見ることによって、患者さんに対して適切な処方ができるようになっています。これは確かに営業活動

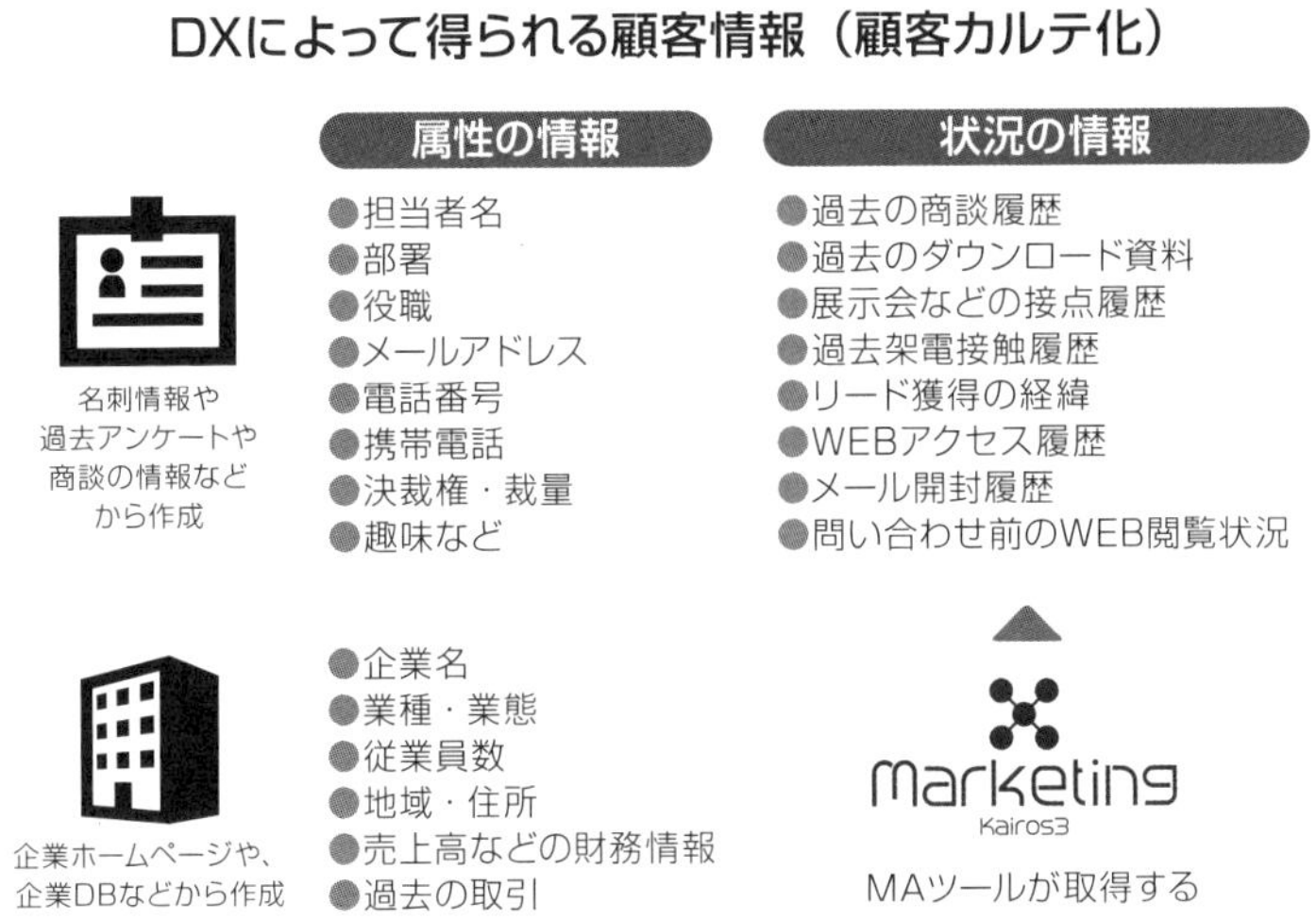

▶図表15

でも応用ができるはずです。

「デジタル顧客カルテ」は、見込みのお客さまの氏名や会社名などの連絡先の情報に加えて、それまでそのお客さまからいただいた営業商談に関する情報、見積りや購入の履歴を記録します。

営業商談以外でも、新規開拓の領域で得た情報も追記します。例えば、過去に展示会で話ししたことやその内容、いつ、どのメルマガを開封したとか、あなたのホームページで製品情報のページのあるページを見た、などのお客さまの行動の記録をすることが、DX時代の「デジタル顧客カルテ」です（**図表15**）。

お客さまは、商品の購買をインターネットで行う時代です。このようなオンラインの行動には、お客さま側で購買行動を始めているかどうか、どんな商品に興味があるのか、というマーケティングや営業にとって重要な情報が含まれているのです。特に、メルマガの開封やホームページの閲覧の情報を「デジタル顧客カルテ」に記録するためには、MAツールの活用が便利です。

近年では、見込みのお客さまは法人でも、購入の検討にはインターネットで情報を集めます。購入を検討している商品のホームページや口コミなどの情報を集め、詳細を聞き出すための商品を二、三に絞り込む傾向にあります。その後、絞り込んだ商品を取り扱う企業に連絡をします。絞り込まれた後では遅いのです。絞り込んでいるという行動を検知してお客さまに接触していきます。もしくは、絞り込む前にお客さまが必要な情報を届ける必要があるのです。

「デジタル顧客カルテ」は、最初から完璧なものをつくることはできません。MAツールを導入して、徐々に情報が蓄積されることで「デジタル顧客カルテ」が育っていきます。

●デジタル顧客カルテのつくり方

はじめて「デジタル顧客カルテ」をつくるときは、社内にあるお客さまの連絡先情報を集めることから始めます。お客さまの連絡先情報は、営業部員がお客さまからいただいた名刺を個人の名刺ケースに入れて保存しているとか、過去に出展した展示会で交換した名刺情報が Excel で保存され、どこかに放置されています。

前述したように、何年か事業を営んでいれば、社内で名刺を集めると数百のお客さま連絡先情報が集まります。

できるだけ多くのお客さま連絡先情報を集めるためには、営業部員に「デジタル顧客カルテ」をつくってもらうのではなく、担当者を決めて、営業部員から名刺を借りてデジタル化をする作業をします。営業部員にデジタル化を頼んでも、通常の業務があるため、名刺のデジタル化の作業が後回しになりがちです。連絡先情報がたくさん集まらないばかりか、時間もかかってしまいます。

当社のお客さまでは、「デジタル顧客カルテ」の担当者が段ボール箱を持って営業部員のデスクを回ってお客さまの名刺を預かってデジタル化を行ったそうです。その後は、外出の予定がある営業部員に声をかけて、毎日名刺を集める作業をしているということです。

別のお客さまでは、支社にあるお客さまの名刺を段ボールで本社に送ってもらい、担当者がデジタル化をして、作業終了後に再び支社に名刺を送り返していました。以降は定期的に、支社で新たに獲得したお客さまの名刺を本社に定期的に送ってもらっているそうです。

はじめて「デジタル顧客カルテ」をつくるときには、これくらいのことをやるべきなのです。

お客さまの名刺をデジタル化するということは、お客さまの名刺にあるすべての情報をExcelなどのファイル形式で一覧にして、MAツールなどでつくった「デジタル顧客リスト」に蓄積することです。

デジタル化の作業では、名刺のデータを「デジタル顧客カルテ」担当者が手入力でExcelに記録する方法もあります。名刺の数が一〇〇枚程度であれば、この方法でも十分です。しかし、人間の手作業では名刺情報の入力作業に時間がかかるだけでなく、入力ミスが発生することは否めません。

名刺情報をデジタル化するために便利なツールがあります。それは、「名刺管理ツール」です。名刺管理ツールを使えば、お客さまの名刺の情報をアプリでスキャンするだけで文字に変換してくれます。名刺管理ツールは、無料のものから有料のものまでさまざまあります。

名刺情報の一覧は、名刺管理アプリからExcelやCSVなどの形式でダウンロードできます。このExcelやCSVファイルをMAツールに取り込めば、「デジタル顧客リスト」が完成します。MAツールには、特定の名刺管理ツールから自動で名刺情報を取り込む機能があります。この機能は便利なので、ぜひとも利用をおすすめます。

最初につくった「デジタル顧客カルテ」には、お客さまとの過去の接触情報などの情報がありません。これらの情報は、「デジタル顧客カルテ」をはじめてつくってから、MAツールに取り込むことで蓄積していきます。数か月もすれば、内勤営業や受注活動で使える「デジタル顧客カルテ」に成長します。

メルマガで商談になる見込み客を探す

●どんなメルマガを送ればよいのか

「デジタル顧客カルテ」をつくったら、メルマガを始めます。メルマガで届けるべきは、お客さまの事業や業務の役に立つ情報です。決して売り込みすぎてはいけません。売り込みとは売り手の一方的な行為であり、売り込みを通じてお客さまとよい関係を築くことにはなりません。みなさんも、企業からのメルマガを受け取る機会があるでしょう。商品紹介だけの売り込みが強いメルマガが勝手に届くことにうんざりしていると思います。

しかし、いざメルマガの読者の立場からメルマガを企画する立場に変わると、どうしても意気込んで売りっ気が強いメルマガを企画してしまうのです。当社のお客さまでもこの事象を数多く見てきました。例外なく、相当な売り込みの強いメルマガを書く傾向にあります。

繰り返しになりますが、見込みのお客さまが望んでいる情報とは、事業や業務のヒントになるお役立ち情報です。お役立ち情報をお客さまに読んでいただくことを通じて、見込みのお客さまとよい関係を築くと同時あなたの商品や会社を覚えてもらうことです。ここに注意してください。とにかくメルマガでは売り込まずに、お役立ち情報を届けることです。

では、何がお客さまの役に立つ情報なのでしょうか。

我が社にはそんなお役立ち情報などない、という声もよく聞きます。ほぼすべてのお客さまがこう言います。しかし、詳しく話を聞いてみると、ほぼすべての会社で、社内に見込みのお客さまにとって役に立つ情報がたくさんあります。

みなさんの事業領域においては、みなさんは専門家になります。専門家ゆえに、お客さまよりもみなさんのほうが知見やノウハウをたくさん持っています。そして、お客さまとみなさんの会社の知見やノウハウの差分が、事業における利益を生み出しているのです。こうした知見やノウハウが、お客さまにとってのお役立ち情報であり、「これは役に立つ！」と思ってもらえるようになるのです。

専門家であるがゆえに、「こんな情報で、お客さまの役に立つのだろうか？」と思ってしまうのです。

お客さまが商品を選ぶ基準のうち、商品に関係のあるものは、メルマガのネタとして活用が可能です。それが、お客さまにとって役に立つ情報になります。

例えば、製造業であれば特定の部品や素材に関する知見や市場の動向などがあります。「暗い色で光沢がない素材は高級感がある」「○○という素材の世界的な高騰により、代替品としてこんな素材が考えられる」などがあげられます。これらは、みなさんにとってあたりまえのことです。しかしこれらの情報は専門領域であり、お客さまにとっては新鮮かつ役に立つ情報なのです。「こんな情報が役に立つのか？」と思えるでしょう。でも、勇気を出してメルマガのネタとして見込みのお客さまにお届けください。売り込みでなければ、お客さまに怒られることはありません。もちろん、お客さまに不快に思われることもないでしょう。

いざメルマガを書こうとしても、なかなか書く内容が思いつかないことがあります。そんなときに役立つ方法とは、ある特定のお客さまに送る想定をすることです。

特定のお客さまとは、「△△株式会社の○○さん」くらいに具体に想定して、このお客さまにとって役に立つ情報は何かを考えます。お客さまは、過去の商談で会ったお客さまを想定するとよいでしょう。「あのとき、こんな情報を伝えたら喜んでいたな」など、自身の体験からメルマガの内容を考えると、書くべき内容がすぐに思い浮かんできます。

それでもメルマガで書く内容に悩む場合には、営業部員と立ち話でもしてみましょう。営業部員には、「最近、お客さまとどんな話をしましたか?」や「お客さまが、『へぇ〜』って感銘を受けた情報ってありますか?」などの軽いもので十分です。この答えに、ヒントがたくさんあるはずです。

当社でもマーケティングの施策として、一〇年以上もメルマガをお届けしています。「いつもメルマガを読んでいます!」とか「いつも役に立つ情報を届けてくれてありがとうございます」「メルマガで勉強しています」などの感謝のお言葉をよくいただきます。ある意味で当社のメルマガのファンと言えます。こうしたファンには、いつか検討の機会がある際、当社の商品も検討候補に入れていただけます。購入前からファンであるお客さまは、購入した後にはロイヤルカスタマーになり、長きにわたってあなたの商品を愛用してくれます。

一方で、メルマガを読んだだけで実際に購入したお客さまは記憶にありません。メルマガの文章だけではすぐに売れない現実があります。

メルマガでは、あなたの商品は売れません。しかし、あなたのメルマガのファンになってくれる人のなかに見込みのお客さまはいます。購入前からのファンは、購入後にロイヤルカスタマーになる可能性が高くなります。メルマガのこうした特性を覚えておきましょう。

メルマガの七つの基本を押さえよう

メルマガを手がけるうえで守っていただきたいことを七つの基本としてまとめました。ここでは、メルマガの基本となる、頻度、時間帯、内容、CTA、文量、件名、目指すべき成果、の七つの基本について説明します。

とはいえメルマガの基本をまとめるだけで一冊の書籍になってしまいますから、ここでは要点のみを簡潔にまとめます。

メルマガの七つの基本要素

1　メルマガを送る頻度
2　メルマガを送るべき時間帯
3　メルマガの内容
4　お客さまに取っていただきたい行動（CTA）の設定
5　メルマガの最適な文量
6　メルマガの件名
7　メルマガで目指すべき成果

メルマガをお届けする頻度は、まずは二週間に一度くらいを目指しましょう。少なくとも月に一回はメルマガを届けましょう。メルマガがお客さまに届くことで、あなたの会社や商品を覚えていただける効果を考えると、二週間に一度、最低でも月に一回が目安になるでしょう。

メルマガの配信時間は、多くの人がメールを開封する時間帯の直前が最適です。お客さまがメールの受信ボックスを開いたときに、その上部にあなたのメルマガがあることが望ましいという考えが背景にあります。

法人の見込みのお客さま向けのメルマガであれば、出勤直前の朝九時前、昼休み直後の一三時頃、退勤前の一六時過ぎなどがゴールデンタイムであることが、一〇年以上の当社のメルマガの経験からわかっています。

メルマガの内容は、「メルマガでは強く売り込まない」がメルマガの原則です。見込みのお客さまにとって役に立つ情報を届け続けることで、あなたのメルマガのファンになっていただけるようにしましょう。

また、一通のメルマガには一つのテーマに限定します。複数のテーマを一つのメルマガに詰め込まないようにしましょう。メルマガの件名を決めにくいだけでなく、文量も増え、そして伝えたいことがぼやけてしまうからです。

メルマガを読んだ後にお客さまに取っていただく行動を考えます。メルマガでは、これが最も重要です。法人向けのメルマガの場合、以下の三つのうちのいずれかの行動を促すようなメルマガ本文にしましょう。

①メルマガにを返信してもらう
②メルマガ本文内のリンク先の資料をダウンロードしてもらう（ページを見てもらう、セミナーに登録してもらう、など）
③メルマガの内容を業務で実践してもらう

メルマガで最適な文量は、およそ三分以内でメルマガを読み切れることです。業務の合間にお客さまがメルマガを読むことを考えると、これは妥当な数字だと言えます。人間が平均的に一分あたりに読む文字の量が五〇〇文字と言われています。よって、メルマガは一五〇〇文字以内することが望ましいと言えます。

メルマガの件名は、メルマガの本文の内容を適切に表現しているべきです。およそ三〇文字以内にまとめてください。メルマガの件名が長くなる場合には、件名の文頭にキーワードも持ってくるようにします。

メルマガで目指すべき成果の指標に、メルマガ開封率およびメルマガ本文のリンクをクリックしてくれた割合を示すクリックスルー率（ＣＴＲ）があります。メルマガの開封率は三〇パーセント以上、ＣＴＲは二パーセント以上を狙いたいところです。

メルマガの開封率やＣＴＲの計測にはＭＡツールが必要になります。

●短時間でメルマガを書くために

いざメルマガを始めようとすると、人目をひくキャッチなメルマガの件名と、美しいデザインのメール本文が必要だと考えがちです。小さな組織のマーケティングでは、必要以上にメルマガの件名とデザインを磨き上げる必要はありません。むしろ手を抜くくらいに考えたほうがよいと考えています。

メルマガの開封率を左右する要素には、メルマガの件名と差出人があります。メルマガ受信者がメールの受信ボックスで見つける情報は、メルマガの件名と差出人だからです。

メルマガの差出人は会社や商品名よりも個人名のほうが、メルマガの開封率が高くなると言われています。会社名や商品名ではなくて、個人の名前を差出人に設定しましょう。毎回同じ差出人からメルマガが届くことで、メルマガを覚えてくれる効果もあります。メルマガの件名は毎回変わりますが、差出人は変えないほうが認知という点では効果があります。

メルマガの件名は、メルマガの開封率にとって重要ではあるものの、必要以上に「ポエム風」にする必要はないと考えています。メルマガの件名は、内容を正しく事務的に三〇字以内でまとめられていれば十分です。日本語の表現にこだわり、あれこれと考えることも重要ですが、それよりも二週間に一度の頻度でメルマガを届けることのほうが重要です。メルマガの件名は身の丈ほど、かつ誠実に書けば十分です。

メルマガの件名は、日本語としてあいまいな表現を避けるようにします。例えば、「管理」「～の件」「便利な」「かんたん」など、どのようにも意味がとれる単語を使わないようにします。書き手にとっては便利な表現ですが、読み手にとっては意味があいまいになるため、その意味はわかるものの心が動きません。読み手の心が動かなければ、次の行動につながらないからです。

メルマガでも、「○○株式会社メルマガ第57号」などはNGです。お客さまにとって、そのメルマガは第何号であっても関係ありません。メルマガを自分の受信ボックスに保存するお客さまが一定数いて、ある情報を探すときにメルマガを検索します。メルマガの送り手としては、検索するキーワードになるようなメルマガの件名にしておくべきなのです。

メルマガのデザインは、MAツールなどのメルマガ機能で用意されているテンプレートを使いましょう。大手企業などで自社のブランドが重要である企業を除いて、メルマガのデザインのために外部の専門家に依頼する必要はないでしょう。メルマガの制作代行は、メルマガ一通につき一〇万円以上の費用がかかることが一般的です。

メルマガのデザインにこだわるよりも、むしろメルマガのデザインをサボるくらいに考えておくとよいでしょう。その分、メルマガの企画や内容に時間をかけてください。

メルマガの本文は、デザインよりも、メルマガ開封時に読み手の画面に表示されるファーストビューにいちばん伝えたいことが入ってくることが重要です。

●知っておきたいメルマガの約束事

メルマガでは、個人情報の取り扱いに注意しましょう。社会情勢の変化から、個人情報の取り扱いはここ一〇年の間に相当に厳しくなりました。基本的なメルマガの約束事を覚えて、お客さまに迷惑をかけないメルマガの運用を心がけてください。

メルマガを届けるときには、MAツールなどの専用の仕組みを使ってください。MAツールにはお客さまの個人情報を守るための仕組みが整っています。自身の業務メールのツールを使ってメルマガを送ろうとして、第三者にメールアドレスが見えてしまうことは、個人情報の漏洩にあたり、個人情報保護法に違反します。

メルマガには、送信メールごとにオプトアウトを設定します。こちらも法律で定められていることになります。オプトアウトとは、メルマガの受信者が自らの意思で受信を停止するための仕組みです。メルマガの最下部にそのリンクをクリックすると、オプトアウトの手続きが自動でできるようにしておきます。MAツールを使ってメルマガの配信をしているなら、MAツールの機能でオプトアウトのための仕組みを各メルマガに設定することができます。

MAツールで商談につながる「いますぐ客」を見つける

●オンラインで購買検討を進める時代に適したMAツール

いまや法人の購買であっても、直接業者に問い合わせる前に、インターネットで情報を集める傾向にあります。インターネットで検索して、ホームページで情報を集めることもあれば、メルマガなどから情報を集めることもあります。このようにして商品の情報を得て、購入に向けて連絡を取るべき業者を探して絞り込みます。およそ三〜五社くらいに絞り込んで、各会社の営業に連絡を取ります。オンラインで購買の検討を進める昨今では、従来の営業活動よりもずっと早くお客さまに情報提供する必要があります。

お客さまから連絡をいただいたときには、お客さまの購買行動はかなり最終段階に近いところまで進んでいる状態にあります。


MAツールでは「デジタル顧客リスト」に、ある一定の条件を満たす見込みのお客さまのメルマガ開封や自社のホームページの訪問履歴などのオンラインでの行動を見ることができます。MAツールのこの機能を使うことで、いま購入のための情報収集をしている見込みのお客さまを見つけることができるのです。

小さな組織において限られた人員と費用で売上アップを目指し、効率よくマーケティングをするならMAツールを活用して「いますぐ客」を見つける仕組みをつくる必要があります。

●「いますぐ客」を探し出す仕組み（スコアリング）

MAツールを導入したら、MAツールでホームページに問い合わせフォームをつくりましょう。お客さまからの問い合わせ内容をメールで受け取れるようになることで、メールを受け取ってから迅速に営業対応ができるようになります。

また、MAツールで問い合わせフォームをつくることで、問い合わせをいただいたお客さまがその前後に見ていたページの情報もわかるようになります。問い合わせ前に見ていた自社のホー

価格が気になる見込み客のパターン

2023/08/11 17:45	WEB	製品A トップページ	
2023/08/11 17:46	WEB	製品A 価格表ページ	⇐ いきなり価格を確認している
2023/08/11 17:47	WEB	製品A 問い合わせページ	
2023/08/11 17:52	WEB	お問い合わせ（内容）	
2023/08/11 17:53	WEB	製品A トップページ	
2023/08/11 17:54	WEB	製品A 機能一覧	
2023/08/11 17:55	WEB	製品A 機能 機能1ページ	
2023/08/11 18:30	メール	問い合わせ 自動返信メール 開封	

▶図表16

ムページの閲覧記録には、お客さまのニーズに関する情報がたくさんあります。

図表16は、ある問い合わせがあった見込みのお客さまの行動の記録です。製品のトップページに訪れた後で、いきなり価格に関するページを見ています。この例の場合は、おそらく予算もしくは購入する価格を気にしていることが推測できます。価格を見て、問い合わせがあったということは、価格についてはお客さまの予算の範囲であることが予想できます。値引きについては強気で交渉してもよいかもしれません。

他にもいくつかの例を紹介しましょう。

問い合わせ前に、あなたの商品の機能や効用を主に見ているお客さまの場合は、おそらくやりたいことや必要な機能が決まっています。それが実現できるかどうかをあなたのホームページで確認しているのです。こうしたお客さまの場合は、お客さまに連絡すると商品の詳細仕様を聞かれることになることが予想できます。

また、問い合わせの前後において、あなたのホームページをまったく見てない人が一定数います。検索サイトなどから直接あなたのホームページのトップページにたどり着き、そのまま他の情報を探すことなしにお問い合わせをいただくパターンです。

この場合は、口コミによる紹介か、購入のために比較検討する競合の商品があることが予想できます。お客さまは自身の力で商品を絞り込み、そしてあなたの会社に連絡していると考えられます。つまり、ホームページを見る前から、問い合わせることを決めているのです。

この場合には、商談時に必ず競合が存在するため、お客さまとの打ち合わせ前に十分に競合対策をしておく必要があります。

当社では、これまでに数千のお客さまに自社のMAツールの紹介をしてきました。ほとんどのお客さまからは、当社のホームページにお問い合わせをいただいています。お客さまにお会いする際には、当社のMAツールで記録に残ったお客さまのオンラインの行動履歴から、隠れたニーズを確認させていただきました。ほぼすべてのお客さまのニーズがオンラインの行動に反映されることがわかっています。問い合わせをいただいてからお客さまにお会いする前に、ニーズを推測しながら商談に必要な資料や営業トークを準備しておくことで、営業商談に対して入念な準備

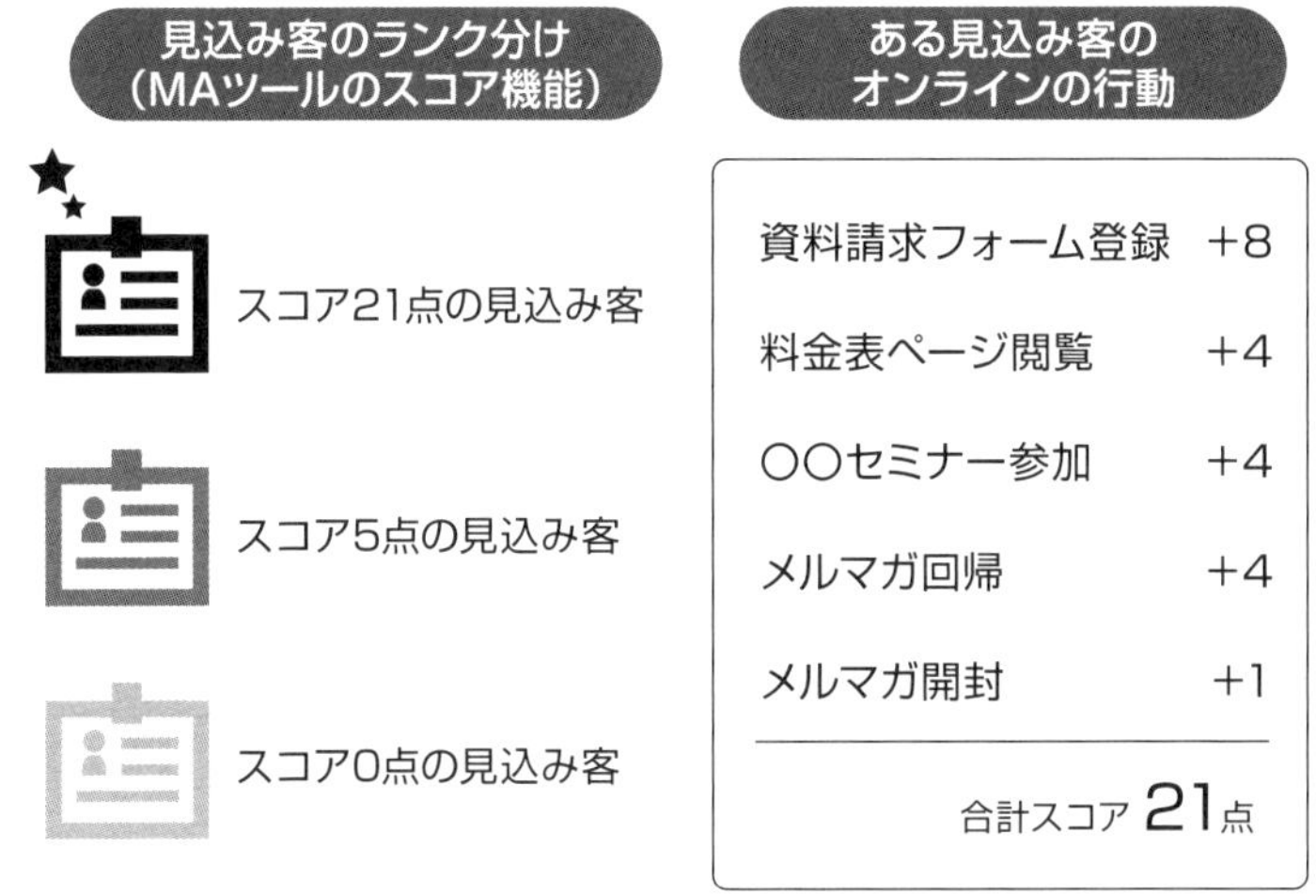

見込み客のランク分け
（MAツールのスコア機能）
スコア21点の見込み客
スコア5点の見込み客
スコア0点の見込み客
ある見込み客の
オンラインの行動
資料請求フォーム登録　+8
料金表ページ閲覧　+4
○○セミナー参加　+4
メルマガ回帰　+4
メルマガ開封　+1
合計スコア 21点

▶図表17

ができるようになります。

MAツールを使った問い合わせの対応について説明してきましたが、問い合わせがないお客さまでも、問い合わせしたお客さまと同様にホームページの情報をたくさん見ていることがあります。このような見込みのお客さまを抽出する機能がMAツールにはあります。これが、MAツールのスコアリング機能です。

スコアリング機能で計測される個々の見込みのお客さまの点数をスコアと呼びます。**図表17**のようにお客さまのオンラインなどの各行動に点数をつけ、その合計値がその見込み客のスコアになります。ある一定期間のスコアの変化をもとにMAツールは「いますぐ客」を自動で探し出します。MAツールには、ある一定期間に一定のスコアに達した「いますぐ客」を通知する機能があります。通知先を営業部員にしておけば、営業部員がすぐさまお客さまに連絡できるようになります。

このようにMAツールのスコアリング機能を活用することで、「いますぐ客」を探し出すだけでなく、行動履歴からお客さまのニーズを推測して事前に資料や営業トークの準備をしておくなど、「いますぐ客」に連絡をする前に十分な作戦を練るための情報も提供してくれます。

MAツールは、「デジタル顧客カルテ」をつくり、メルマガでお客さまと定常的に接触しながら自社のことを覚えてもらい、いざお客さまが購買のための活動を始めたら、スコア機能によってそれを知り、そして営業に通知するという、小さな組織のためのマーケティングの基盤とも言える仕組みを構築するツールです。

ここまで、MAツールを使って「デジタル顧客カルテ」にある見込みのお客さま情報をうまく活用して営業の商談をつくりだすという、マーケティングの仕組みのつくり方について説明してきました。ここからは、マーケティングの仕組みに対して新たなお客さまの名刺情報を取り込むための集客の施策について説明します。

展示会を活用して集客する

展示会は小さな組織のマーケティング施策のテッパンである

知名度がそれほどでもない小さな組織のマーケティング活動におすすめの集客の施策は展示会です。

事業を成長させるためには新規開拓のためのマーケティングが欠かせませんが、一般的に認知が低い組織にとっては集客が最も難しいことです。展示会は、主催者が展示会のテーマに興味・関心のある来場者をみなさんに代わって集客してくれます。展示会出展費用を払うことで、小さな組織の集客リスクを低減するという意味で、展示会はおすすめです。

展示会では会場内に自社のブースを設営して、来場者に自社の商品を説明します。興味・関心を抱いていただいた場合には、その場で商談になることもあります。自社集客をしなくても、新たな見込みのお客さまに出会える展示会は、マーケティングの集客施策としてとても有効です。

展示会の出展費用は、展示会主催者から新たな見込みのお客さまの名刺情報を購入する施策くらいに考えていただいてよいでしょう。

●展示会来場者の目的はほぼ情報収集である

展示会来場者の目的は、情報収集です。来場時点で、あなたの商品を購入する意思がありません。展示会場でどんなに売り込みをしても、展示会の来場者はその場で購入を決めることはほぼありません。

ただし、あなたのブースに足を止めてくれる来場者は、商品に興味があり、話を聞きたいと思っています。もちろん名刺交換することも可能です。しかし、展示会で出会える見込みのお客さまのほとんどが、あなたの商品に興味はあるが、いますぐ購入を検討したいとは思っていません。

展示会は、このように興味はあるがいますぐ買わない来場者がたくさんいます。だからこそ、来場者と名刺を交換して、連絡先や展示会で交わした会話の骨子を自社の「デジタル顧客カルテ」に記録しておく必要があります。展示会が終わってからは、メルマガで情報をお届けして、あなたの会社や商品を引き続き記憶に留めてもらう必要があります。

本書で、マーケティングとして先に見込み客発掘の仕組みをつくる説明をした理由は、展示会の出展には費用がかかることと、来場者の多くはその目的がただの情報収集だからです。

展示会の成果は事前に見積もれる

展示会の出展費用は、それなりにかかります。決して安いとは言えません。だからこそ、展示会の費用対効果を知っておくべきです。ある展示会の費用対効果は、展示会の出展を決める前にある程度予測をつけることが可能です。展示会の来場者数と獲得できる名刺の数から費用対効果を予測できます。

ある展示会の来場者数は、前年の展示会の来場者数から予測します。展示会の主催者のホームページに前年の実績として公開しています。過去の展示会の実績が主催者のホームページで公開されていない場合は、獲得できる名刺の数を過去に出展した同様の展示会で獲得した名刺の数から予測します。ブースの大きさや位置にもある程度は左右されますが、展示会の来場者数と獲得できる名刺の数との相関はおよそ比例することが経験的にわかっています。

自社が出店した展示会の来場者数と、獲得した名刺の数を記録しておくことはとても大切です。過去に出展した展示会について可能な限り調べておきましょう。来場者数は、主催者が必ず発表しています。その展示会の来場者数と獲得できた名刺数を記録して比率を計算しておきます。来場者数に対して一・〇〜一・五パーセント以上の来場者数の名刺を獲得したいものです。もちろん、展示会の主催者や開催場所、業界、テーマによっても異なります。

ある展示会の来場者数から獲得できる来場者の名刺の数を予測して、一枚あたりの名刺の獲得単価を計算します。予測できる名刺の獲得単価をもとに、その展示会に出展するかどうかを決めます。名刺の獲得単価が数万円になる展示会の出展はおすすめできません。もちろん、あなたの商品の単価や利益率に依存することは言うまでもありません。マーケティングにおいて、展示会の費用対効果は、費用に制約のある小さな組織にとってとても大切なことです。

もちろん名刺を獲得する費用対効果だけでなく、ある展示会を起点に獲得した商談数や売上のデータも有効です。商談や成約と売上は、その成果が出るまでに半年から一年もかかること多く、展示会の費用対効果を算出できるまでに時間がかかります。出展後に、次に出展すべき展示会を探す指標としては検討の余地があります。

前章で紹介したＳＦＡを導入している場合には、ある展示会を起点とした商談数や売上を計測できるようになります。ＩＴツールを導入してマーケティングや営業の活動に関するあらゆる情報を蓄積することは、小さな組織の意思決定の精度を高めていきます。

小さな組織に有効な小冊子での集客

なぜ小冊子が新規開拓に有効なのか？

展示会出展以外にも、小さな組織のマーケティングにおすすめの施策があります。それは「小冊子」です。

小冊子とは、あなたの商品を購入する見込みのお客さまにとって、あなたの商品の領域の業務についての知見やノウハウ、調査データなどをまとめた資料を指します（図表18）。完成した小冊子は、自社のホームページなどからダウンロードできるようにしておきます。見込みのお客さまは、自身の連絡先の情報と引き換えに小冊子をダウンロードします。

小冊子をダウンロードしていただける人は、あなたの商品の領域の業務をしていることになりますので、将来のお客さま候補である見込みのお客さまになります。見込みのお客さまに営業部員が連絡することもできますし、メルマガをお届けしてあなたの商品や会社を覚えてもらうこともできるでしょう。

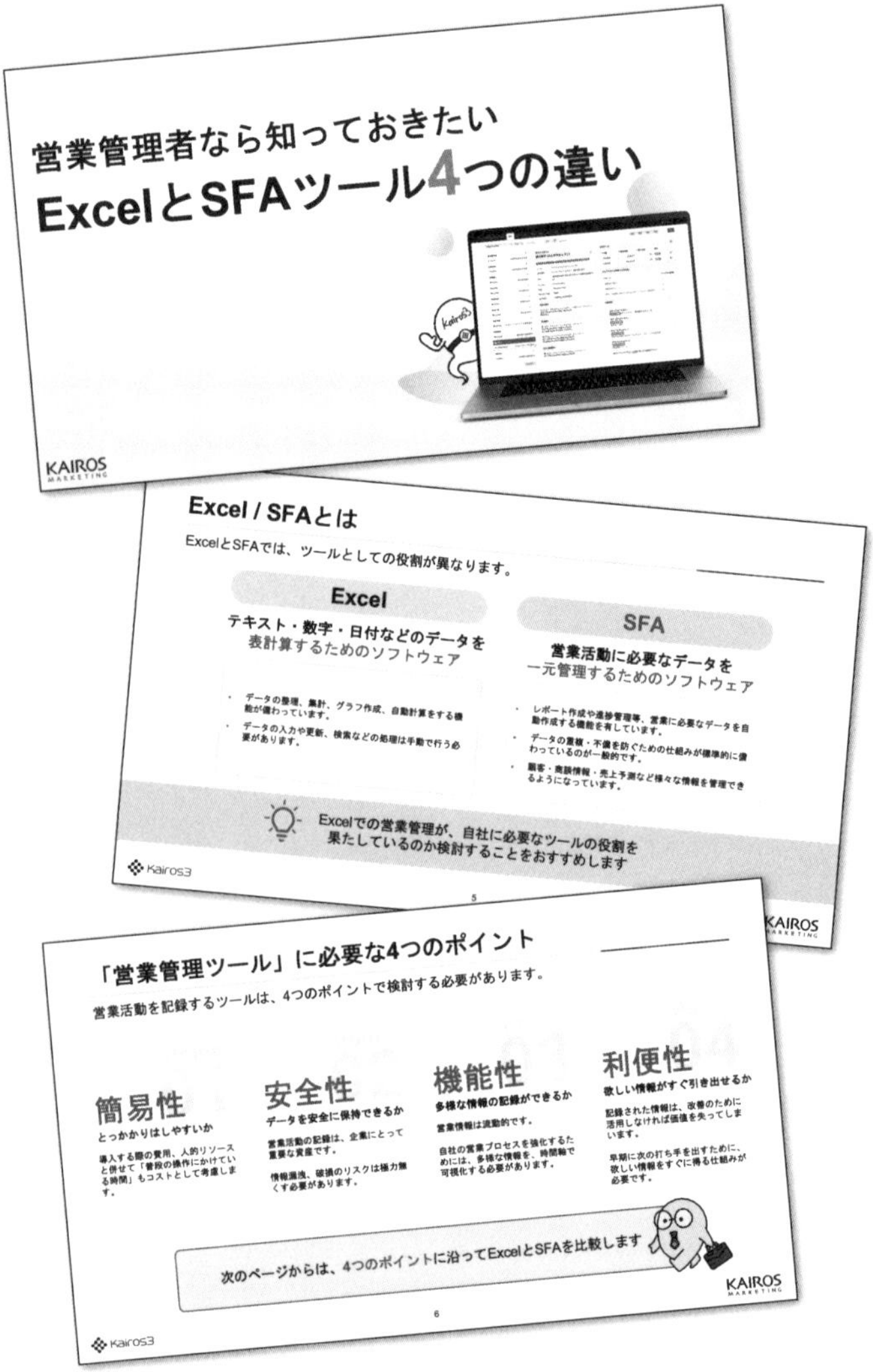
営業管理者なら知っておきたい
ExcelとSFAツール4つの違い
KAIROS MARKETING
Excel / SFAとは
ExcelとSFAでは、ツールとしての役割が異なります。
Excel
テキスト・数字・日付などのデータを
表計算するためのソフトウェア
データの整理、集計、グラフ作成、自動計算をする機能が備わっています。
データの入力や更新、検索などの処理は手動で行う必要があります。
SFA
営業活動に必要なデータを
一元管理するためのソフトウェア
レポート作成や進捗管理等、営業に必要なデータを自動作成する機能を有しています。
データの重複・不備を防ぐための仕組みが標準的に備わっているのが一般的です。
顧客・商談情報・売上予測など様々な情報を管理できるようになっています。
Excelでの営業管理が、自社に必要なツールの役割を
果たしているのか検討することをおすすめします
Kairos3
5
「営業管理ツール」に必要な4つのポイント
営業活動を記録するツールは、4つのポイントで検討する必要があります。
簡易性
とっかかりはしやすいか
導入する際の費用、人的リソースと併せて「普段の操作にかけている時間」もコストとして考慮します。
安全性
データを安全に保持できるか
営業活動の記録は、企業にとって重要な資産です。
情報漏洩、破損のリスクは極力無くす必要があります。
機能性
多様な情報の記録ができるか
営業情報は流動的です。
自社の営業プロセスを強化するためには、多様な情報を、時間軸で可視化する必要があります。
利便性
欲しい情報がすぐ引き出せるか
記録された情報は、改善のために活用しなければ価値を失ってしまいます。
早期に次の打ち手を出すために、欲しい情報をすぐに得る仕組みが必要です。
次のページからは、4つのポイントに沿ってExcelとSFAを比較します
KAIROS MARKETING
6
Kairos3

▶図表18

オンラインの広告を使って、小冊子を宣伝して見込み客を自社のホームページに誘導することも可能です。

小冊子も展示会への出展と同じく、その目的は集客です。展示会は主催者が集客をしてくれますが、小冊子は自社でやらなくてはなりません。ただし、小冊子以外のマーケティングのための施策と比べると、手軽な集客の施策になります。

小冊子は、業界での認知がない小さな組織でもある程度の集客が可能です。会社や商品の知名度が低くても、事業を営む領域の認知はある程度あるはずです。町工場で考えれば、その町工場の社名や商品名の認知はなくても、例えば「精密金属加工」といった事業領域の認知はあるはずです。お客さまにネット検索で見つけてもらったり、費用をかけられる場合は先ほどの例で言えば「精密金属加工」というキーワードで検索連動型の広告でより多くのお客さまに見つけていただくことも可能です。

「精密金属加工」についての知見やノウハウが詰まった小冊子なら、その領域に興味のある見込みのお客さまに対しても有効です。会社や商品の認知が低い小さな組織にとって小冊子がマーケティング施策に適している理由がここにあります。

小冊子は、商品紹介や提案によく使う資料、展示会で配布しているカタログやパンフレットなどからもつくることができます。紙面の媒体をPDFなどのインターネットでダウンロード可能な状態にするだけで完成します。ダウンロードするための登録フォームの作成は、MAツールの標準機能を使えば、ホームページ業者に依頼する必要はありません。たったこれだけでできるわけですから、小冊子はあまり費用をかけずに短期間で実現する手軽な施策であることがおわかりいただけると思います。

●自社でもできる小冊子作成の流れ

小冊子の作成は、PowerPointやWordで作成してPDFの形式で保存するだけです。

PowerPointやWordの編集ができるなら、社内でも十分につくれるでしょう。営業で使用している資料や、セミナーの講演資料、製品パンフレットなどがあれば、それらを活用することもできます。

小冊子はそれなりのページ数があることが望ましいですが、八〜一〇ページくらいの情報量のシンプルなものから始めても十分にその効果を発揮します。

小冊子は、企画、製作、掲載の流れでつくります。

企画では、小冊子を読んでもらいたい人物像（ペルソナ）と小冊子の内容を決めます。製品を売り込むのではなくて、製品に関連するお客さまの業務に関する知見やノウハウ、調査データなどの情報をお届けすることを目的とします。

まずは、関係者数人でアイデア出しとアイデアの取りまとめをしながら、小冊子の内容を決めていきましょう。社内にはさまざまな知見やノウハウがあるはずです。ほんのちょっとしたノウハウでも、小冊子の題材になりますので、社員で気軽にアイデアを出し合ってみてください。

小冊子は、講演資料や営業のプレゼン資料とは異なり、読んでもらうことが目的になりますので、読んでわかる資料に仕上げなくてはなりません。過去の講演資料や営業プレゼン資料に説明のための文章を加えて小冊子を仕上げていきます。

つくった小冊子をPDFファイルに保存して自社のホームページに掲載します。ホームページに掲載しただけでは、誰にも気づかれないので、メルマガでその内容を届ける、ホームページのお知らせに追加する、広告やSNSで広めるなどの活動が必要です。

時間が経てば、検索サイトにも表示されるかもしれません。

●小冊子をお届けしたい人は誰か？

小冊子のよくある失敗例は、そのターゲットを細かく設定していないことです。

小冊子のターゲットを決める要素は、役職などの役割も重要ですが、それよりもその人の知識レベルだけを考えることが重要です。小冊子の目的は、そのテーマに関する知見、ノウハウ、データなどの情報を届けることで、そのテーマについて学んでいただくことです。学ぶことが目的である小冊子ゆえに、どんな知識レベルの人に、どのようなレベルの解説で小冊子を仕上げるかを決める必要があります。

法人の購買では、購買側の知識レベルが上がらないと、購買のプロセスが進まないことはよくあります。課題と感じていても、購買側の知識レベルが高まらないために、解決策としてあなたの商品を選択することができないのです。小さな金属部品の加工に課題を持っている企業があっても、その解決方法が、微細金属加工の領域なのか、素材の領域なのか、勘すら働かないため、課題は認識してもその解決策を導くに至らないのです。小冊子は、購買を進めるための知識を学ぶうえで、見込みのお客さまにとって役に立ちます。そのため小冊子では、見込みのお客さまの知識レベルでターゲットを分類します。

ある分野の商品を知らない、つまり、当該分野の名前は聞いたことがあるけれど知識がないという人には、その分野についての基本的な事項の解説や知見、ノウハウをお届けする、いわゆるノウハウ集もしくは解説書のような小冊子にします。

その分野の商品を知っているが、あなたの商品を知らない、もしくは名前程度しか知らない人には、あなたの商品の競争優位性につながるような調査データをお届けするのもいいでしょう。商品の紹介はある程度にとどめておくとしても、多少の商品紹介はあってもいいでしょう。

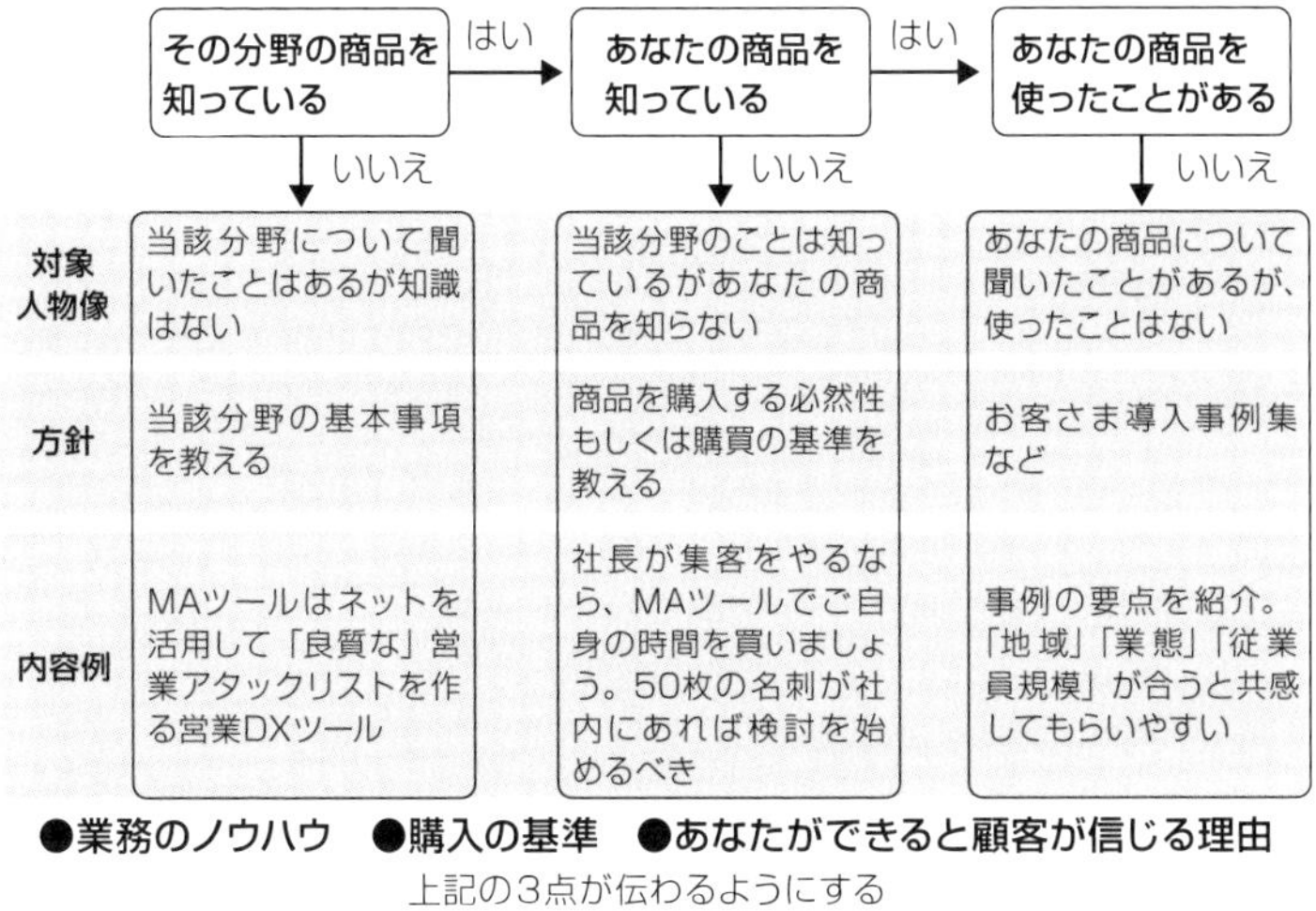

その分野の商品を知っている
はい
あなたの商品を知っている
はい
あなたの商品を使ったことがある
いいえ
いいえ
いいえ
対象人物像
当該分野について聞いたことはあるが知識はない
当該分野のことは知っているがあなたの商品を知らない
あなたの商品について聞いたことがあるが、使ったことはない
方針
当該分野の基本事項を教える
商品を購入する必然性もしくは購買の基準を教える
お客さま導入事例集など
内容例
MAツールはネットを活用して「良質な」営業アタックリストを作る営業DXツール
社長が集客をやるなら、MAツールでご自身の時間を買いましょう。50枚の名刺が社内にあれば検討を始めるべき
事例の要点を紹介。「地域」「業態」「従業員規模」が合うと共感してもらいやすい
●業務のノウハウ　●購入の基準　●あなたができると顧客が信じる理由
上記の3点が伝わるようにする

▶図表19

あなたの商品は知っていても使ったことがない人には、やはり導入事例の小冊子をおすすめします。導入事例を読んでいただくことで、あなたの用品を導入した結果どんな状態になるのかを導入事例を通じてイメージしてもらえるようになるからです。

お客さまは、あなたの商品を買っているのではなく、その商品を導入した後のイメージを買っているのです。導入事例の小冊子で導入した後のイメージを理解することがお客さまの購買を促進する一つのきっかけになります。

図表19では、想定する見込みのお客さまの知識レベルで分類しました。基本的な分類なので、このままご活用いただければと思っています。

●小冊子のための集客をする

完成した小冊子をPDF形式で自社のホームページに掲載します。自社のホームページに掲載しただけでは誰も見つけてくれませんので、まずは自社のメルマガで小冊子をつくったことをお知らせしましょう。

作成した小冊子をメルマガでお届けしても、新しい名刺情報を基本的には取ることができません（なかにはメルマガを社内で転送していただくことで、新しい名刺情報が取れることがあります。不思議です）。まずはメルマガで新しい小冊子をお知らせすることで、お客さまの反応を見ます。いつものメルマガよりも開封率やクリック率が高い場合には、お客さまの関心の高さが見受けられます。

同時にダウンロードしていただいたお客さまは、当該小冊子のターゲット像と考えてもいいと思います。カテゴリーすら知らないのか、カテゴリは知っているがあなたの商品を知らないだけなのか。このあたりが推測できるようになります。

反応がよかった小冊子は、オンライン広告などを通じた集客を検討しましょう。反応がよい小冊子は、オンライン広告をして十分な費用対効果が見込めるからです。まずは自社のホームページに掲載、メルマガで案内して反応を見る、反応がよいものはオンライン広告で新規開拓する、このような流れになることを覚えてください。

小さな組織のマーケティングのためのヒント

●マーケティングに適した社内人材とは？

マーケティングという新たな部門、もしくは業務として立ち上げる際に「誰にマーケティングを担当してもらうか」ということに悩むことになります。

筆者の経験では、新たに立ち上げるマーケティング部門では、過去にマーケティングを経験した人よりも、営業経験者のほうがより成果を出しやすいと感じています。営業経験者とは、自社の商品の営業部員であり、かつて他社で営業を経験した中途採用の営業部員ではありません。

マーケティングの業務では、自社の商品をよく理解していることと、自社の商品を購入していただくお客さまをよく理解していることが絶対条件になるからです。自社の商品とお客さまをよく理解していなければ、お客さまにお役立ち情報を届けるメルマガの企画や執筆がなかなかできません。他社でのマーケティングの経験は、展示会の出展方法やメルマガの送り方などの一般的な業務に活きるのですが、展示会でどんなメッセージを出すべきか、メルマガの内容を考える、などの企画にはほとんど活きてこないのです。展示会の出展方法やメルマガの送り方などは、外注や業務委託をすることも可能です。しかし企画については、自社の商品の売り方を通じてお客さまのことをよく理解していることが必要です。だからこそ、自社の営業経験者が新しく立ち上げるマーケティング部門の業務に最適であると考えています。

●他にもある小さな組織のためのマーケティング手法

小さな組織のマーケティングと言えば、ＳＮＳやコンテンツマーケティングなどのデジタルマーケティングと呼ばれる手法もあります。人員や費用に余力があれば手がけても構いません。まずは、それぞれのデジタルマーケティングの特性を理解してください。

ＳＮＳは、小さな組織でも手軽に始められる施策です。いわゆる「バズる」という事象が発生すれば認知が一時的に伸びることもありますが、それは極めて稀です。ほとんどの場合、ＳＮＳでは、すでに自社のことを知っているお客さまへ情報を届けることになります。「最近ＳＮＳでいろいろ情報発信していますね」とか「先日、○○の投稿を見ました」など、お客さまから言われることが中心になるというのが筆者の経験です。お客さまとのつながりを深くする点では有効ですが、集客を目的としたマーケティングとして必ずしも効果を生み出すことはない、ということに留意しておきましょう。

コンテンツマーケティングとは、ネット検索で自社のホームページのある記事が上位に表示されるようにする施策です。特定のキーワードについての記事を書き、自社のホームページに掲載していきます。ネット検索で自社のホームページに訪れる新規の見込みのお客さまを増やすことを目的とします。

コンテンツマーケティングで効果が現れるためには、最低でも一〇〇から二〇〇の記事が必要です。それぞれの記事は、特定のキーワードについて三〇〇〇文字以上を目安にしてください。成果が出てくるまでには半年から一年はかかります。コンテンツマーケティングも、新規開拓の人員や費用に余力がある場合は検討してみるといいかもしれません。

コンサルティングや専門性の高い商品を取り扱う場合においては、セミナーやオンライン型のセミナーであるウェビナーも有効です。企画から集客、登録者の管理とその後の営業活動まで一連の手間がかかりますが、集客や商談を導くために見込みのお客さまを探すためのマーケティング施策として一定の効果があります。

メルマガの運営と小冊子による集客ができたら、次は自社でセミナーやウェビナーを手がけてみましょう。セミナーにはノウハウをお届けすることを目的とした情報提供型のものと、ある商品を購入するための考え方や基準をお届けすることを目的とした顧客獲得型のものがあります。新規開拓では、顧客獲得型のセミナーを目指すことで創出する商談数を増やすようにしましょう。

第4章

内勤営業で営業効率を上げよう

なぜ、小さな組織に内勤営業なのか？

内勤営業の役割とは

従来の営業活動を受注活動とマーケティングに分けるメリットとその手順について、説明してきました。受注活動とマーケティングを分業したら、次にやるべきことは内勤営業という役割を社内につくることです。

内勤営業は「インサイドセールス」と呼ばれることもあります。インサイドセールスは、英語の「Inside Sales」を語源する営業活動の手法の一つです。内勤営業部員が事務所内でお客さまとコミュニケーションを取り、商品やサービスを販売する活動を指します。内勤営業部員はお客さまと直接対面せず、電話やＷＥＢ会議システムなどのＩＴツールを使って接触します。

内勤営業の主な役割は、問い合わせなどの初動対応、連絡先リストをつくって定期的に見込みのお客さまに接触すること、お客さまの特性やニーズを見極めて商談につながるアポを確約すること、商談に有益なお客さま側の情報を取得することの四つになります。

内勤営業の主な仕事

・問い合わせなどの初動対応
・連絡先リストをつくって定期的にお客さまに接触
・お客さまの特性やニーズを見極めて商談につながるアポの獲得
・商談に有益なお客さま側の情報の取得

詳しくは、「内勤営業の仕事」の節で説明します（133ページ参照）。

●小さな組織で内勤営業が必要な理由とは

小さな組織に内勤営業を置くべき一つ目の理由は、内勤営業が受注活動の前工程としてお客さまのニーズを見極めて、商談になる可能性が十分にあるかどうかを確認することで、受注活動の効率を上げることです。

マーケティングで見込み客と判断された場合、内勤営業がその見込み客に事務所から電話やWEB会議システムなどのITツールを使って連絡を取って、ニーズがあるか、予算や時期が決まっているか、などの商談になる情報を引き出し、商談になる可能性を探ります。内勤営業が商談になる可能性が十分に高いと判断できた場合には、その商談を営業部員に引き継ぎます。受注活動の前工程として内勤営業で商談になる可能性が高い見込みのお客さまを見つけ出すことができれば、最初の面会から提案機会につながる割合が高くなるだけでなく、提案後の成約につながる商談の割合も増えます。小さな組織に特有の営業手法である飛び込み営業のような、商談になる可能性がまったくわからないお客さまに一〇〇回アプローチするよりも、しっかりとニーズが見込めるお客さまに一〇回接触するほうがはるかに営業の成約率は高くなります。

内勤営業を小さな組織に置くべき二つ目の理由は、いますぐ商談にならないお客さまに継続的に接触することで、将来の商談を育てる必要があるからです。

「来年の予算としては検討可能です」「来期には新しい事業を立ち上げる予定ですので、その際にまた情報を調べようと思っています」などと状況が確認できているお客さまには、期間を置いてあらためて接触します。もちろん見込みのお客さまの希望した時期に連絡しても、お客さま側でまだ何も進んでいないこともあります。

受注が目的である営業部員は、当然のことながら受注が近い商談を優先してしまい、このような将来の見込みのお客さまへの対応を忘れやすくなります。だからこそ、内勤営業が将来の見込みのお客さまリストを作成し、定期的にこのリストに確実に連絡して商談になり得る可能性があるかどうかを探ります。定期的に見込みのお客さまに内勤営業が接触することは、小さな組織での商談数を増やすことにつながります。

小さな組織に内勤営業を置くべき三つ目の理由は、内勤営業という役割を社内につくることで営業部員の採用基準が緩和され、さらに社内のキャリアパスが構築されて組織の柔軟性が高まることです。

内勤営業は、お客さまの状況確認が多いため、受注活動ほど専門性の高い知識や技術について知らなくてもお客さま対応が可能です。もちろん、よりよく知っていたほうがいいのですが、最低限お客さまの状況が確認できる程度でも内勤営業として十分に務まります。また、マーケティング部員のように営業経験がなくても業務での対応が可能です。

その結果、採用枠が広がるため、小さな組織の人員採用が十分にできるようになります。内勤営業部員は内勤営業として働くことで営業のスキルを徐々に身につけるだけでなく、お客さまや自社の商品の知識が蓄積されるため、戦力として成長していきます。成長した内勤営業部員は、マーケティング部門や受注活動の営業部員として異動させることもできます。このように内勤営業は新人社員のキャリアパスの起点としても有効に機能します。

小さな組織でも内勤営業が必要な理由
- 後工程となる受注活動の効率を上げる
- いますぐ商談にならないお客さまに接触して将来の商談数を増やす
- 採用基準の緩和と社内キャリアパスの構築により組織の柔軟性を増す

●内勤営業を立ち上げるべき時期

内勤営業を立ち上げる時期は、マーケティング部門を新たにつくるときに合わせることが理想です。マーケティングによって、商談につながる見込みのお客さまを探し出せるようになった段階で内勤営業を立ち上げて、内勤営業がマーケティング施策で発掘した見込みのお客さまに接触して、お客さまの興味の度合い、ニーズ、予算の有無や購入の検討時期などの商談の可能性を判断するための要素を確認します。

内勤営業は、他の業務と兼務にならないようにしましょう。内勤営業で他の仕事と兼任すると、内勤営業がやるべきお客さまへの連絡などの業務が他の業務によって最優先にならないことが多くあるからです。

内勤営業が兼務にならないようにするためには、内勤営業が連絡できる見込みのお客さまのリストが十分にあることが条件になります。小さな組織では、内勤営業が対応できるお客さまが十分にないこともあるでしょう。このような場合には、内勤営業を独立した組織として取り扱うのではなく、マーケティング部門のなかに内勤営業の役割を置きます。マーケティング施策で発掘した見込みのお客さまに内勤営業の役割として連絡をとって商談になるかどうかを判断するようにしましょう。午前中は内勤営業の仕事をして、午後はその他の仕事をするなど、時間を分けて専業化することも考えましょう。

受注を担当する営業組織のなかに内勤営業の役割を置くと、内勤営業の仕事よりも受注に近いお客さの対応を優先してしまうため、内勤営業の役割がまったく機能しない状態に陥るからです。

内勤営業の仕事

会社の窓口として初動対応をする

内勤営業の一つ目の仕事は、お客さまとの最初の窓口になることです。ホームページや代表電話への商品などの問い合わせに迅速に対応します。また、マーケティング施策で発掘した見込みのお客さまに連絡を取ることも内勤営業の仕事です。会社の窓口となり、お客さまの要望に応じた対応をすることが、内勤営業の仕事になります。

内勤営業は、会社の窓口としてお客さまと連絡を取ることで、そのお客さまのニーズや要望、導入の時期などの商談に重要となる情報をうかがいながら、適切な対応を目指します。内勤営業では、すぐに商談につながることを目的とした営業トークをしながら、商談の日程を確定することを狙います。

お客さまに早く連絡をすると、商談につながる可能性が高くなるとも言われています。お客さま側も複数の会社に連絡をすることもあるので、確かに最初に連絡を取れば、対応の速さも期待でき、商談になる可能性だけでなく、受注にもつながる可能性は高まるでしょう。内勤営業がその役割を担うことによって、営業部員が全員外出しているような場合でも、すばやいお客さまの初動対応が可能になります。

●営業のための商談をつくる

内勤営業の二つ目の仕事は、後続の受注活動に商談を渡すことです。内勤営業として商談になるかどうかの判断をすることで、後工程になる受注活動での空振りを防ぎます。せっかくアポを取ってお客さま先に訪問しても「ただの情報収集だった」「自社の製品に関するお客さまの認識が異なっていたため商談にならなかった」などの経験は誰にでもあるでしょう。時間をかけてお客さま先を訪問した際にこのような事態にならないように、お客さまに営業部員が訪問する前に内勤営業が事務所内から電話やメール、ＩＴツールを活用してお客さまとコミュニケーションを取って確認します。

商談になるかどうか、その基準を設定することが、内勤営業の仕事では重要になります。内勤営業が受注につながる可能性を判断するための情報のフレームワークにＢＡＮＴがあります。ＢＡＮＴは、商談の見極めの要素の英語の頭文字であり、ＢはBudget（予算）、ＡはAuthority

（決裁権限）、NはNeeds（ニーズ）、TはTimeframe（時期）になります。

予算では、商品を購入するための予算がお客さまにあるかどうかを確認します。商品を買うことができる十分な予算がお客さま側になければ、営業部員が提案書を持ってお客さま先に訪問しても、受注につながることはありません。お客さまがこれから予算を立てて社内稟議に上げることを目的とした情報収集であれば、まずは内勤営業で対応してお客さまに必要な資料や情報をお届けする対応も可能です。必要な予算がお客さまにあるかどうかは商談になる可能性を見極めるうえでは重要になります。

決裁権限とは、内勤営業が対応する見込みのお客さまの決裁に関する影響度を指します。決裁に関する影響度が大きい見込みのお客さまに直接会えたほうが受注の可能性は高くなります。まったく決裁権限とは関係のない立場での情報収集であるのか、決裁に関して影響力があり、提言する立場にあるのか、などお客さまの立場の違いによって受注の確率は変わります。内勤営業が商談の日程を調整する際には、決裁権限者に同席してもらえるような工夫も必要です。

ニーズは、お客さまが購入する理由になります。例えば、お客さまの要求するニーズが自社の商品で解決できない場合には、受注できることはないでしょう。また、お客さまは単に情報収集しているだけで、購入する十分なニーズがないという場合もあります。お客さまのニーズを見極めることで、その商談になる可能性を確認することも内勤営業の仕事です。

時期は、お客さまが実際に購入をしようと検討している具体的な日付のことです。まだ情報を集めているだけで購入時期が決まっていないような場合には、営業部員がお客さま先を訪問しても受注には至りません。このような場合には、内勤営業が事務所から電話やＷＥＢ会議システムを使って遠隔での商談をすることも考えられます。

ＢＡＮＴのような商談のためのフレームワークを使う場合には、どの条件を満たすことで受注活動に引き渡す商談とするか、営業部門と十分に協議しておく必要があります。

●定期的な接触でお客さまとの関係値をつくる

内勤営業の三つ目の仕事は、定期的に見込みのお客さまに連絡して商談の可能性を探ることです。

いますぐ商談になる可能性は低いものの、将来商談に至る可能性があるお客さまには、初動の対応から引き続いて複数回にわたって継続的に連絡をすることもあります。このようにお客さまとの接触期間が中長期になる場合には、お客さまとの信頼関係を構築することも内勤営業の仕事です。お客さまとの関係を構築しながら、商談に至るよう情報や日程を調整して、営業部員にその商談を引き継ぎます。

小さな組織で内勤営業を立ち上げると、初動対応よりもお客さまと定期的に接触する回数のほうが多くなります。内勤営業では、商談につながるお客さまの対応をするよりも、いますぐ購入を検討していただけず失注になる対応のほうが圧倒的に多くなるからです。いますぐに商談にならないお客さまを自社のデジタル顧客カルテに登録して、内勤営業として定期的に接触しながら見込みのお客さまの業務に役立つ情報を提供して、見込みのお客さまとの関係値を育んでいくことで、長い視野で見て商談数を増やしていく必要があります。

内勤営業が狙うべきゴールは場合によっては、二年後、三年後の商談になることもあります。内勤営業として目先の商談の受注が目的であれば、デジタル顧客カルテに登録して中長期的に見込みのお客さまに接触することは不要です。しかしながら、会社が成長するためには、いまは商談になる可能性がない見込みのお客さまでも二年後や三年後に商談になり、受注をいただけるように、いまから商談化へ向けた計画を練ることも欠かせません。

内勤営業は、将来のための仕込みという側面もあります。

今後の少子高齢化や労働生産人口の低減、市場競争の激化などの背景を考えると市場が拡大する要素が少なく、縮小する可能性が大きくなります。このような流れを見ると、お客さまとの信頼関係の構築はますます重要になっていくと考えられます。内勤営業が継続してお客さまの業務に役に立つ情報を提供することで見込みのお客さまとの信頼関係をつくっていくことを心がければ、「以前は他社の製品を選んだけど、また検討する機会があればお声がけします」「社内の他の部門を紹介します」などのご連絡をいただけることもあるでしょう。

お客さまとの信頼関係をつくるためのお客さまとの情報交換では、内勤営業部員がお客さまからいろいろと教えてもらうための質問力を磨くだけでなく、お客さまに対して役に立つ情報を提供することの両方を相互に行うことで、お客さまとの適切なコミュニケーションを取れるようになります。その結果、知識レベルの溝が埋まり、お客さまが商品の購入に向かって準備できるようになります。

内勤営業の目的は受注活動に向けた商談づくりですが、お客さまの成功ということが大きな目標でもあるのです。こう考えると、内勤営業がお客さまとの信頼関係をつくっていくことの重要性がわかります。

内勤営業も自社の営業活動の一部であると考えれば、目先の売上をつくることも重要ですが、目先の売上だけを追いかけても長期的な成長は難しいでしょう。

内勤営業では、デジタル顧客カルテのなかから地域や業種などある特性に合うお客さまを抽出して電話で接触することもあります。お客さまは購入を検討しているにもかかわらず、問い合わせをしてこないというケースは多くあります。窓口担当者よりも決裁権を持つお客さまは、待ちの状態にあることが多いのです。内勤営業では、決裁権を持つお客さまから自ら問い合わせをしてくることは少ないと考えて業務に取り組むといいでしょう。

内勤営業はお客さまからの連絡を待つ姿勢ではなく、積極的にお客さまとの接点をつくっていくことが重要です。

●お客さま情報を回収する

四つ目の内勤営業の仕事は、見込みのお客さまからさまざまな情報を引き出してＳＦＡに記録することです。内勤営業は、受注につながる商談を探し出すことが目的ですが、内勤営業を日程の決まった商談の獲得だけにしてしまうと、内勤営業の価値を十分に活かしきれません。

内勤営業はお客さまとの会話のなかで、商談につながるかどうかを見極めるためにお客さまの情報を引き出します。そして、営業情報としてしっかりと記録することも心がけましょう。

見込みのお客さまとの連絡や会話のなかで、「お客さまは他社のどのような製品をどの部分でどのように使っているか」「自社の商材はお客さまからどのように見られているのか」など、お客さまの業種別、売上や従業員数などの企業規模別、地域別などの属性情報というものだけからはわからない情報を社内にフィードバックします。同時にこのような情報はＳＦＡに記録しておきます。この情報が、その後のお客さま接触や商談に役に立ちます。お客さまの情報は商談直前ではなく、このように内勤営業で接触したときから得られるすべての情報を記録することが重要です。

先ほど、内勤営業の商談を見極める要素としてＢＡＮＴを紹介しました。ＢＡＮＴの情報以外にもＣ（競合）の情報も集めましょう。お客さまが購入を決めるにあたり、自社以外にも他のどんな会社と連絡を取っているか、その特徴は何か、そしてどれくらいの金額での見積りが出てきているか、その条件は何か、などの情報も積極的に集めるようにすると、市場での競争の様子が見えてくるようになります。

競合の情報は、内勤営業で接触する段階ではまだ十分に得られないことがあります。お客さま側でも購買のための情報収集の初期段階であり、各業者から十分な情報が得られていません。しかし内勤営業から得られる情報がないわけでもありませんので、内勤営業の段階から営業活動・提案の段階までの一連の営業活動を通じて競合の情報を集めてＳＦＡに記録しておくことをおすすめします。

内勤営業を立ち上げる

最初の一人目は誰に任せるべきか？

自社で内勤営業を立ち上げようとすると、「誰に任せたらいいのだろう」「ベテランの営業部員に内勤営業を担当させたら、営業部員の人数が足らなくなってしまう」と悩むのではないでしょうか。

社内ではじめて内勤営業を立ち上げるときは、ベテラン営業部員の支援があるという前提であれば、営業未経験者に内勤営業を担当してもらうことをおすすめします。

内勤営業は、受注活動に比べるとお客さまや商品に関する知識が比較的少なくてもできる仕事です。もちろん、自社の商品やお客さまについて詳しい知識があることに越したことはないのですが、内勤営業でお客さまに連絡する際の営業台本があれば、内容を理解してロープレなどで仮想の実践を繰り返し練習することで、比較的短い時間で内勤営業としての仕事ができるようになります。

ただし、営業台本をつくることや、電話の営業台本の作成やその改善、ロープレの練習相手などはベテラン営業に手助けしてもらう必要があります。

内勤営業部員は、営業台本や営業ロープレを通じて、会社や製品のメッセージや訴求点を覚えて自社の商品の知識を増やし、お客さまや市場のことを学び、そして競合商品も理解していきます。営業ロープレやお客さまとの会話を通じて、ヒアリングや説明のスキルを身につけます。結果として、内勤営業の仕事そのものが人材育成や営業研修になるのです。内勤営業では、受注のための営業活動ほど深い知識や経験はいりませんので、営業未経験者の社内での育成や研修のような効果があります。

内勤営業を営業経験者が担当すると、過去の経験に引きずられてうまくいかないことが多くあります。社内に新しい役割や業務として内勤営業を立ち上げるならば、これまでの習慣とは切り離すという意味でも、内勤営業を営業経験の浅い社員が担当することも悪くはありません。営業未経験者だけで内勤営業を立ち上げた小さな組織もたくさん見てきましたので、みなさんの会社でも十分にできるでしょう。

その一方で、受注活動であまり成果を出していない営業部員を内勤営業に異動させることはおすすめしません。受注活動よりも内勤営業のほうが必要なスキルが少なくて簡単だからという理由で異動させると、なぜかうまくいきません。本来は内勤営業の仕事である初動のお客さま接触などに、よい商談がなかなか回ってこないと痺れを切らした受注活動を担当する営業部員が電話をしてしまうのです。これは人間の信用とか性質の側面がこのような行動を取らせてしまうのでしょう。

そもそも営業成果を出している営業部員は、どのタイミングでどんな連絡をして、どのように商談を進めればよいかを心得ています。成果を出せない営業部員は心理的なハードルがあって成果を出している営業部員になかなか質問できず、勝手に電話してしまうことがあります。結果として、内勤営業の仕事が社内で認められなくなってしまうのです。

●営業台本を用意しよう

内勤営業でも受注活動と同じく、細かい点まで想定した運用の仕組みが必要です。内勤営業の仕組みの一つが営業台本です。

営業台本とは、内勤営業部員がお客さまに連絡する際のコミュニケーションを標準化した文章、または指針を指します。営業台本は、営業トークの見本くらいに覚えてもらえればよいでしょう。

内勤営業では、営業台本を準備することを強くおすすめします。営業台本がなければ、各内勤営業部員が属人的な営業トークをすることになります。会社や製品としてのメッセージがお客さまに伝わらないだけでなく、組織としての内勤営業の業務の改善ができなくなってしまいます。

営業台本を内勤営業が使うことで、商品やサービスの特徴、利点、価値提案などの主要なポイントを経験の浅い内勤営業部員でも強調できるようになります。また、お客さまへの聞くべきリストや、お客さまから質問や反論を受けた場合に、内勤営業部員が適切な回答や反論をすることに役立ちます。お客さまの疑問や懸念に対処しながら、コミュニケーションを通じてお客さまとの関係値を築くことに役立ちます。

同時に、営業台本を用いることによって、まだ経験の浅い内勤営業部員の研修の代わりにもなります。台本をもとに、営業ロープレをすることで、内勤営業の仕事の要点を理解して、専門性の高い営業トークが比較的短期間でできるようになるのです。

営業台本では、「内勤営業としてこういったお客さまとのアポ数を増やしたい」などの具体的なターゲットを決めます。営業台本は、すべてのお客さまに適用する必要はありません。このような営業台本は、一見すべてのお客さまに対応できるようにも見えますが、実は、どのお客さまにも対応できない営業台本になります。これは、よくある失敗です。

営業台本は、特定のお客さまを設定してそのお客さまに売れる営業台本に仕上げます。具体的なお客さま名が浮かぶくらいに考えて営業台本をつくってください。はじめて営業台本をつくるときには、それくらいお客さまの実像に近い状況をつくったほうがいい営業台本になります。

ターゲットのお客さまが複数存在する場合には、営業台本を複数作成しましょう。営業台本は一つで足りることはまずありません。どの会社でも、およそ三つ～五つくらいの営業台本ができるでしょう。営業台本をつくることに慣れてくると「問い合わせ対応用」「展示会Aで会ったお客さま対応用」「展示会Bで会ったお客さま対応用」など、内勤営業で対応する見込みのお客さまリストごとに営業台本ができあがります。

営業台本では、お客さまにどうやって買っていただくかという点に着目するのではなく、お客さまがどのように買うかを注意深く考えていただきたいと思っています。内勤営業では、受注するようなアプローチは不要です。会社としての初動対応することが多く、お客さまとの関係値を構築する役割を演じることが多くなります。内勤営業では売りっ気を強くしてお客さまに接触するよりも、お客さまの商品の購入アドバイザーになるような接触が必要です。営業台本でも、お客さまの商品の購入アドバイザーになるような流れの構成にすることをおすすめします。

はじめて営業台本をつくるときは、ベテランの営業部員がいつもお客さまに話しているトークを文字に起こすことから始めます。まずは、典型的なお客さまに対する台本の作成から始めましょう。

文字起こしをしたベテラン営業部員のトークを以下のプロセスに分解します。

コンタクト：最初の接触からお客さまとの距離を縮める段階
ヒアリング：お客さまの現在の状況やニーズを引き出す段階
商品説明：商品の説明およびクロージング段階
フォロー：購入や契約を促す段階

これはあくまでも例ですので、みなさんの営業活動に合わせて変更してください。内勤営業では、コンタクト、ヒアリング、商品説明までを台本に起こすことが一般的です。

ここでできあがった営業トークを内勤営業部員で読み合わせをします。読み合わせをしながら、「もっとこうしたほうがいい」「これでは難しいのではないか」などの意見を出し合いながら改善していきます。最終的には内勤営業の営業台本としてまとめます。

営業台本では、ベテランも活用できるが、新人の内勤営業部員が見ても理解できるように落とし込まれていることが重要です。場合によっては、営業台本に注釈や解説を入れることで、よりわかりやすい営業台本の作成を目指します。なぜここでこれを話すのか、などの解説が入ることで新人の内勤営業部員が理解しやすくなります。

もちろん営業台本では、異なるメッセージを伝えるなど、成果を測定して必要に応じて台本を改善することが必要です。また、営業台本はあくまでもガイドラインであり、内勤営業部員は、お客さまとの対話に柔軟に対応することが欠かせません。台本に頼りすぎないよう、お客さまのニーズや反応に適応することも重要です。営業台本を実践で柔軟に使いこなせるようにするために、営業台本と営業ロープレはセットで考えてください。

営業台本以外にも、内勤営業には決まりごとを仕組みとして用意しておきます。例えば、連絡が取れなかった場合でも、三回までは電話するとか、メールで連絡を取るなどのルールが必要です。

内勤営業部員が対応するお客さま名簿の管理

内勤営業では、内勤営業部員が対応するお客さま名簿の管理がとても重要になります。はじめて内勤営業という役割を社内で立ち上げるときは、お客さま名簿を管理することをとにかく重視してください。内勤営業部員が対応するお客さま名簿は、デジタル顧客カルテと連動したお客さまの連絡先の情報を記録するだけでなく、どの内勤営業部員が、いつ、どのお客様に連絡するといった、いわゆる業務対応表のようなイメージを持っていただければと思っています。

内勤営業部員が対応するお客さま名簿の管理がしっかりできていないと、内勤営業の現場が混乱するだけでなく、お客さまへの接触回数といった内勤営業の行動数が落ち込んでしまい、内勤営業の生産性がなかなか伸びません。内勤営業が対応するお客さま名簿を内勤営業部員に任せてしまうと、やはり内勤営業の生産性が落ちてしまいます。内勤営業が対応するお客さま名簿の管理は、内勤営業管理職がやるべきなのです。
内勤営業の仕事では、可能な限り個々の内勤営業部員をフル稼働状態にするべきです。どの内勤営業部員がどのお客さま名簿に対応するかを前日に決めておいて、当日の日中は、そのお客さま名簿の見込みのお客さまに接触する仕事に専念してもらいます。複数人の内勤営業部員がいるときは、対応するお客さまの数が偏ることがあり、ある内勤営業部員は手が空いているにもかかわらず、別の内勤営業部員は指示されたリストに対応しきれない、といった状態になることを避けるようにします。

内勤営業部員が対応するお客さま名簿は内勤営業の対応の流れから、いくつかの属性に分類することが可能です。例えば問い合わせなど、突発的に発生するようなお客さま名簿もあれば、定期的に接触するお客さま名簿もあります。この二つのお客さま名簿は、内勤営業の現場の対応の流れから見ると別物です。定期的に接触するお客さま名簿の場合は、前回の続きなど同じ担当者であることが望ましいです。問い合わせは、商品の見積りや資料の送付など、突発的な社内調整が必要となることもあります。このように対応の流れが違うお客さま名簿がある場合で、かつ内勤営業部員が複数人いる場合には、できるだけ対応するお客さま名簿を分担しておくことも考えましょう。こうすることで、内勤営業の効率が上がり、内勤営業の行動数が増えるようになります。

一人の内勤営業部員で複数のお客さま名簿に対応する場合には、一日の時間のなかで対応するお客さま名簿を分ける方法もあります。毎日、午前中は定期的に接触するお客さま名簿に対応し、午後には過去に失注した商談のお客さま名簿に対応するなど、似たような業務を連続して対応することで内勤営業の生産性が上がります。ただし、急を要するような問い合わせ対応には早急に対応することを忘れないようにしましょう。

内勤営業の成果は、受注活動に引き渡す商談の数で判断されるとしても、対応するお客さま名簿によって営業に引き渡す商談の数が大きく変わることがほとんどです。ただし、内勤営業が対応する前に、そのお客さま名簿の質の良し悪しはわからないことが多くあります。お客さま名簿の質がわからないため、連絡先の量だけは内勤営業部員の間でバランスを取っておきます。

内勤営業だけは、他の仕事以上に細かい管理が必要です。勘や経験に内勤営業の業務を頼ると破綻します。数字を積み上げてロジカルに運用できるようにしましょう。

内勤営業のＫＰＩの設定

内勤営業でも、必ず目標値を設定します。内勤営業の目標は、受注活動に渡す商談数になります。本来は受注活動を経ての受注数や売上にしたいところですが、内勤営業と受注活動の役割分担を考えると、受注活動に渡す商談数を目標に定めることが現実的です。目標に加えて、ＫＰＩとして内勤営業の行動数を記録します。電話数、メール送信数、ＷＥＢ議システムなどを使ったお客さまとの打ち合わせ数が行動数の内訳になります。

内勤営業では、受注のための営業活動に比べて圧倒的に失注する割合が高くなります。もちろん失注しないようにすることも重要ですが、まずは内勤営業の質よりも行動数などの量にこだわるようにします。内勤営業では、やはりお客さまが購買行動を取るというタイミングに接触できることが重要です。どんなに内勤営業が売り込もうとしても、お客さま側で購入する段階になっていなければどうしようもありません。そのため、内勤営業の行動数を増やして、お客さまの購買の場面に接触できるようにします。

内勤営業の毎日の行動数をＫＰＩとして計測し、内勤営業の行動数が上がるように内勤営業の業務を見直します。内勤営業を立ち上げて、運用が軌道に乗ってくると、毎日二〇件を超えるお客さま接触が可能になります。

内勤営業の行動数は、Excelなどで管理が可能です。ただしExcelは記録や管理などの手間がかかるため小さな組織こそＳＦＡを使って内勤営業の行動数を計測するべきです。お客さま名簿ごとや日別・週別・月別・担当者別などの行動数がかんたんにグラフやレポートにできる機能があります。内勤営業の行動数はグラフやレポートなどで見える化して、数か月単位での変化や傾向を見るべきです。数字だけを見ていてもその変化や傾向は見えてきません。

内勤営業の行動の質については、行動数とは別の数字で見ていきます。例えば、受付突破率、意思決定者などのキーパーソン接触率、アポ取得率などの割合をお客さまリストごとに見ていきます。お客さまリストごとに見る理由は、お客さまリストによって、これらの数字が大きく異なるからです。このような質に関する数字を取りながら、営業台本を改善して、この数字の変化を見ていきます。

●他部門との調整弁になる

内勤営業は、前章までの営業部門やマーケティング部門と調整しながら仕事を進める必要があります。営業戦略に合わせた商談を提供するとか、新規開拓のマーケティングからくる見込みのお客さまにどの優先度で対応していくか、などの細かい調整が多く発生します。

営業部門との調整では、

- 営業戦略に合った商談提供数の調整
- 営業に商談を渡す条件の定義と調整
- 商談受け渡し時やリスケジュール時などの細かい運用の設定と責任範囲の明確化

などがあります。

内勤営業でもできるだけフル稼働にしておくべきであることは説明しましたが、実は、受注活動に対応する営業部員もできるだけフル稼働にしておくことが望ましいのです。そのため、営業部員に仕事の余裕があるときには、受注活動に商談を供給する際の条件を少し緩くし、逆に営業部員が忙しすぎるときには商談を供給する条件を厳しくします。このように内勤営業が商談数の調整弁のような働きをすることで、営業活動全体の効率をよくすることができるようになります。

マーケティング部門とも同様に、

・内勤営業が対応する見込みのお客さまの量と質
・見込みのお客さまの対応状況（施策別の転換率と有効数）の共有
・内勤営業が対応する展示会出展などのイベントの計画と人員配置
・新規開拓からの見込み客の受け渡し方法、電話連絡までの運用の決定

などがあります。

内勤営業は、マーケティング部門とも緻密に連携します。内勤営業部員をフル稼働させるため、マーケティング施策からの見込みのお客さまへの対応量を制御します。内勤営業に余裕があるときは、マーケティング施策からくる見込みのお客さまに幅広く対応します。

内勤営業の仕事では、あらかじめ想定されることを決めておくことで、業務中に対応の協議に

かかる時間を減らして業務の生産性をよくすることをおすすめします。

内勤営業組織の拡大に向けて

ロープレと台本でメンバーを育てる

内勤営業の活動を仕組み化して内勤営業部員にマニュアルやOJTで仕事を教えても、商談での受け答えや、自社製品や周辺の知識を会話のなかでどのように使うのか、駆け引きとそのタイミングの取り方など、マニュアルにスキルとして文章にできない現場感覚はうまく学ぶことができません。内勤営業で成果を上げるためには、このような現場感覚を学ぶ必要があります。現場感覚を学ぶ方法が営業ロープレになります。

営業ロープレは内勤営業部員が内勤営業の仕事を覚えるうえでとても重要ですが、お客さまとの商談前の事前準備としても重要です。お客さまからの質問や要望、反論を想定して営業ロープレで繰り返し練習することで内勤営業の技量を磨き、内勤営業のアポ取得数の向上につながります。

営業ロープレでは、お客さま役と内勤営業役をつくります。お客さま役については、事前にその詳細なプロフィールを共有します。営業ロープレの参加者全員にしっかりと共有するようにしましょう。そして、ロープレの時間を設定して始めます。時間の設定がないロープレはだらだら続くだけになりますので、あまり効果がありません。

内勤営業では電話のロープレが中心になりますので、電話でできたらいいのですが、複数人が参加することが難しいため、Zoom や Google Talk、Teams などのＩＴツールで顔を共有しない音声モードでやってみましょう。

お客さま役は、一般的なお客さまを演じます。通常の内勤営業で滅多に出会えない状況を設定しても営業ロープレでの練習にはなりません。よくあるケースを設定しながら、内勤営業部員のトークに質問をしたり受け答えたりします。内勤営業部員は、その質問などに受け答えする応酬話法を身につけます。応酬話法が身につくと、内勤営業の成果がどんどんよくなります。営業ロープレで発見したよい応酬話法については営業台本にもどんどん取り込むようにしましょう。

営業ロープレが終わったら、参加者全員から意見や感想を集めます。参考になった点、改善したほうがよいと思った点の両方を回収するようにしましょう。最後に、○○さんの営業ロープレを見てみたい、などの意見も回収します。

こうすることで、内勤営業からの商談をつくる数が徐々に増えていきます。

内勤営業の営業ロープレの流れ

1　お客さま役と内勤営業役をつくる
2　商談の詳細を参加者全員と共有する（場面の設定）
3　ロープレの時間（長さ）を設定する
4　ITツールを使って参加者と音声を共有してロープレする
5　参加者全員から意見や感想を集める

内勤営業は、見込みのお客さまに電話で接触することが多くなります。その際に、営業台本があれば内勤営業の業務がスムーズになります。

営業台本では、お客さまの購買心理に基づいて、売れる営業台本を作成し、ロープレで伝わる話し方を訓練する流れになります。こうすることで、内勤営業として経験の浅い内勤営業部員でもある程度売れるようになっていきます。

営業台本ができたら、営業ロープレで営業台本を本番でもしっかり使えるように練習します。

営業ロープレでは、内勤営業管理職がすばらしい営業トークのお手本を見せる必要はありません。あくまでも内勤営業部員の営業トークに対して、お客さまの立場だったらこう感じるなどのフィードバックをするだけで十分に営業ロープレの効果があります。一対一で営業ロープレをしてもいいのですが、内勤営業部員を複数参加させて、互いにコメントをすることでも営業ロープレは十分に成り立ちます。

営業ロープレは、忙しくても時間を決めて定期的に開催することをおすすめします。毎日、決まった時間に営業ロープレをやってもいいでしょう。営業ロープレでの気づきを内勤営業部内で共有し、必要に応じて営業ロープレの台本を改善しましょう。営業ロープレで内勤営業の成果が上がる企業をたくさん見てきました。営業ロープレはとても重要なので、最優先で時間を取るようにしてもよいと考えています。

内勤営業の仕組み化では、営業台本が中心になります。営業台本を用意して読んでもらうことで、内勤営業部員が基本的なスキルを身につけます。営業台本では表現できない現場感覚を営業ロープレで学習することで、内勤営業の成果を上げるような工夫をします。

内勤営業の仕事はMAツールやSFAで業務改善を図る

内勤営業でもMAツールとSFAを活用します。新規開拓と受注活動に分業した場合には、MAツールとSFAが欠かせません。小さな組織で営業力を強化するためには、「営業は足で稼ぐ」「勘と経験が大事」という古き考えから営業DXを通じてITツールやデータベースを活用した営業へと進化させるべきです。

マーケティング施策により、見込みのお客さまとして内勤営業に引き渡されます。その見込みのお客さまに連絡する前に、内勤営業ではお客さまの事業内容を理解するなどの事前の下調べをしなくてはなりません。その下調べの一つとして、MAツールで当該の見込みのお客さまについて調べます。

MAツールでは、過去に送付したメールの開封の記録や、ホームページへのアクセス履歴などを調べることができます。見込みのお客さまが取ったオンラインの行動の記録には、内勤営業がお客さまに接触するうえで有益な情報がたくさんあります。MAツールを使ってお客さまのオンラインの行動からニーズを推測する方法は、マーケティングの章で述べました。ニーズを推測して、あらかじめ準備しておく資料やお客さま事例、営業トークなどを、お客さまに連絡する前にあらかじめ準備しておきましょう。

準備するほど、商談に至る可能性が高くなります。

内勤営業が見込みのお客さまに連絡する前に調べた情報は、SFAにも記録しておきます。商談の日程が決まり、営業部員にその商談を引き渡した後で、営業部員が同じことをもう一度調べる手間がなくなります。また、会社として顧客情報を蓄積するという意味でも、内勤営業が見込みのお客さまに接触する前に調べた情報はしっかりとＳＦＡに記録しておくべきです。

そして、内勤営業がお客さまから得た情報やお客さまのために取った行動もＳＦＡに記録しておきましょう。特に商談にとって重要になるＢＡＮＴなどの情報は、受注活動を進めるにあたって重要です。特定の商談にとって重要なだけでなく、仮にこの商談が失注になったとしても、また同じお客さまに内勤営業として接触する場合に、過去の会話の内容や引き出した情報があれば、内勤営業のトークを磨き上げることができます。

お客さまにメールで連絡をする際には、ＳＦＡの「メール送信機能」を活用しましょう。ＳＦＡからメールをお客さまに送ることでＳＦＡにメールの内容を残しておくことができるだけでなく、そのメールをいつお客さまが開封したかもわかるようになります。お客さまが開封したタイミングで電話連絡をすれば、お客さまに連絡がつく可能性が高くなります。ＳＦＡからメールを送ることでお客さまがメールを読んだか読んでいないかがわかりますので、その状況に合わせて内勤営業のトークの内容を変えることもできます。

内勤営業では、業務の効率を上げるためにＳＦＡの「アタックリスト機能」を使います。自分が担当する見込みのお客さまをあらかじめリスト化しておくことで、次にどのお客さまに連絡するか迷うことがなくなります。内勤営業にとって、このように連絡すべきお客さまをリスト化しておくことはとても大事です。

小さな組織の内勤営業は、ＭＡツールやＳＦＡを活用することで業務の効率を改善する工夫をしましょう。ＳＦＡを使うことで、内勤営業としてやったこと、やっていないことが見えるため、わざわざ日報を書く必要もなくなります。お客さまに連絡をして、資料や、見積りが欲しいとお客さまに依頼されたことは、ＳＦＡの「ＴｏＤｏ機能」に記録しておきます。業務のやり忘れを防止できます。

小さな組織のための内勤営業のヒント

●内勤営業間の業務量のバランスを取る

今後の内勤営業が増えた場合には、必ず内勤営業の管理職がリストを管理してそれぞれの内勤営業部員に対応する見込み客のリストを分け与えるようにしましょう。それぞれの内勤営業部員が担当するリストを管理するようになると、手が空いている人とそうでない人の差が出てしまいます。

内勤営業では、連絡するリストによって商談の日程を確保できる数が大きく左右することが知られています。内勤営業の業務の質を担保するよりも、まずは内勤営業の仕事の量を内勤営業部員でバランスを取るのです。それは内勤営業の管理職の仕事にしないと、うまくバランスが取れないようになりますのでご注意ください。

内勤営業部員が二名になった段階で、内勤営業の管理職をつくってリストの管理をするようにしましょう。また、内勤営業部員とその管理職は可能な限り分けておくとよいでしょう。

●営業台本とロープレを改善する役割をつくる

内勤営業が複数名になった場合には、営業台本の管理や改善と、営業ロープレをする役割もつくります。営業ロープレで改善点を見つけながら、その改善点を営業台本に反映する仕事になります。

内勤営業がＩＴツールを使ってお客さまに電話できる環境にある場合には、その電話の内容を録音して保存しておきます。商談の日程を確保できたような電話の履歴は、内勤営業の管理職がその内容を確認することが可能になります。こうすることで営業ロープレ以外にも実際のお客さまの電話の内容も聞きながら、営業台本の改善ができるようになります。もちろんＫＰＩも見ながら、数値の改善との相関もしくは因果関係を分析することも重要です。

●内勤営業のキャリアパス

ここまで説明してきたとおり、内勤営業の業務は営業台本があるので、自社の営業経験が浅くても内勤営業としての成果を出しやすい仕事になります。よって小さな組織での採用の要件の緩和につながります。

内勤営業で一とおり商品やお客さまについての知識を身につけることで、マーケティング施策や成約を目的とした営業部門への異動も可能になります。つまり、内勤営業を起点として社員育成ができるようになり、社員のキャリアパスにもつながります。

人員不足に悩む小さな組織においてキャリアパスの形成の基点になるという意味でも、内勤営業こそ小さな組織にとって大切な部門であり役割でもあります。

第5章

成功事例から学ぶ 小さな組織の社員が育つ施策

小さな組織の売上改革のためのマーケティングと営業

本章では、売上一〇億円を目指す小さな組織のみなさんに参考になる事例をお届けします。小さな組織では営業活動がブラックボックス化していることが多く、個人商店化が進んでいます。ここで取り上げた事例は、個人商店化から脱却して、新規開拓のためのマーケティングを立ち上げ、なかには内勤営業も立ち上げて売上拡大に向けて小さな組織のマーケティングと営業の改革を実現しています。

売上を拡大するには、経営者が何かを感じて、それをきっかけとしてマーケティングや営業の改革が始まります。これからお話しする事例からもわかるとおり、うまくやっている企業には共通点があり、また経営者の考え方にも共通点があります。

マーケティングや営業の変化の過程で、売上が伸びるだけでなく、社員の成長につながる点も共通していると言えます。

売上一〇億円を目指すみなさんのご参考になれば幸いです。

事例1

営業ＤＸで営業を仕組み化して人材育成に成功

三光製作株式会社（静岡県・製造業）

三光製作株式会社（代表取締役　山岸洋一氏）は、昭和二八年（一九五三年）創業の静岡県浜松市に本社を置く「めっき」を中心とした表面処理メーカーです。めっき技術は、装飾性、防錆性、耐摩耗性を製品に付与し、製品の付加価値を高める加工技術として重要な役割を果たしています。同社は、亜鉛めっき、ニッケルクロムめっき、樹脂めっき、銅めっきなどの種別と、材質もステンレス、真鍮《しんちゅう》、アルミなど、幅広く対応できることが特徴です。

下請けからの脱却を目指した営業ＤＸと新規開拓

同社はリーマンショック後、それまで取引をしていた企業からの発注が激減したことをきっかけに、下請け体制から脱却して自立した企業を目指しました。自社のホームページをつくり直して情報発信に力を入れたり、展示会に出展したりするなど、新規開拓にも力を入れてきました。

営業ＤＸに取り組む前は、書類や会議での対話といった社内のコミュニケーションが中心でした。典型的な地方製造業として、業務にはアナログな部分が多く存在していました。営業活動も個々の営業部員に頼っていた面もありました。個々の営業部員の個人的なスキルや物理的な制約にとらわれない、会社組織としての営業活動を営業ＤＸの仕組みを活用していかに構築できるかが経営課題となっていました。

●ＩＴツールの導入で営業ＤＸを社内に浸透

営業ＤＸの取り組みとして、まずはグループウエアなどのＩＴツールを業務に取り入れることから始め、営業部員のデジタルに関する心持ちの変化を狙いました。グループウエアの導入と同時に、社内の生産管理システムを一新し、納期の情報の一部をお客さまにＩＴシステムとしてメールで連絡をする仕組みを構築しました。こうして社内外の業務において営業ＤＸを推進することで、営業部員の意識を変革していきました。

本書でも触れましたが、営業ＤＸによって組織を変えるときは、戦略や組織構造を変えるだけでなく、業務の「仕組み」を変えることが重要です。戦略や組織構造を変えただけでは社員の行動に変化を及ぼさないことがあり、変革が絵に描いた餅になりやすいのです。同社のようにＩＴシステムで業務そのものを変えてしまうほうが組織の変革が起こりやすく、営業ＤＸの実現ははるかに近いと言えます。

ＩＴツールで社内の業務の仕組みを変えた後は、展示会で収集したお客さまの名刺を名刺管理ツールで集約し、お客さま名簿をデジタル化しました。同時にMAツールを導入することで、本書でも紹介した「デジタル顧客カルテ」をつくっています。MAツールを導入することで、お客さまの名刺情報をデータとして活用できるようなりました。

MAツールは『Kairos3 Marketing』を選定しました。名刺管理ツールと連携して、お客さま情報をMAツールに取り入れるだけですぐに「デジタル顧客カルテ」が完成しました。まずはこのツールを使って、経営陣やベテラン営業が持っていた名刺のお客さまにメルマガを送ることから始めました。それまで訪問やパンフレットを郵送する代わりにメルマガに切り替えました。メルマガは、MAツールの「メールテンプレート」を活用して社内で作成しています。売り込みを少なくして、お客さまの業務に対するお役立ち情報を文章でお届けすることから始めました。

はじめてのメルマガに対して「ご無沙汰しております。御社ではこのような製品も扱っているのですね」などと、お客さまからメルマガに返信をいただくこともありました。メルマガの返信から商談になることもあり、手応えを感じはじめました。

小さな組織のメルマガでは、お客さまからメルマガに返信をいただくことがよくあります。そこから商談につながることも少なくありません。人材不足に頭を悩ませる小さな組織では、このような営業DXのアプローチはとても有効と言えます。

●MAツールの活用で新規開拓が安定化

MAツールの特徴の一つに、「デジタル顧客カルテ」に登録した一部の見込みのお客さまのオンラインの行動がわかるようになることがあります。見込みのお客さまが、いつホームページのどこを見ているかを知ることで、商談になる前からお客さまの困りごとやニーズが把握できるようになります。MAツールのこの特徴を活用することで、お客さまに接触する前にお客さまの嗜好がわかるようになるため、事前に特定の資料を準備したり、お客さまからお話をうかがう前に営業トークを組み立てたりすることができるようになり、受注活動の質が上がります。

同社では、パンフレットや会社案内のPDFをホームページからダウンロードしていただいたお客さまに対してこのようなアプローチをすることで、お客さまとの接点を増やすことに加えて、受注活動でも成果を感じるようになりました。

「新規開拓のマーケティングは『攻め』のように思えるが、当社にとっては『守り』であると考えています」と山岸氏。新規のお客さまに接触することで、お客さまの求めている価値の理解が進み、他社との競争やお客さまとの交渉を通じて自社の弱みの理解とその改善につなげています。このようにして、市場における自社の競争優位性を高めながら、自社の営業力の強化につながっているのです。

●営業DXによる営業の仕組み化で若い人材が育つ組織へ

営業DXの一環としてMAツールを導入してから間もなく、同社ではSFAも導入しました。それと同時に従来の営業活動を分業して、マーケティング活動と受注活動に加えて内勤営業を立ち上げています。SFAを導入する以前は、同社の営業活動は役員やベテランの営業部員が中心であり、個人に頼る形で属人化していました。

営業DXの流れでSFAを導入する際に、同社の営業活動を仕組み化しました。本書でも紹介した仕組み化で営業ステージと標準タスクを設定することで、経験の浅い営業部員でもベテラン営業部員のやり方を学べるだけでなく、実践できるようになりました。経営陣からすれば、社内にいてもお客さまの声や競合の値引き情報などの営業活動が見えるようになりました。

内勤営業では、営業経験が比較的浅い社員を抜擢しています。SFAを導入することで内勤営業部員の活動が見えるので、上司が指導できるようになり、内勤営業部員の社内教育の代わりとなりました。内勤営業部員が成長して、いまでは複数の内勤営業部員からなる組織に発展しています。

山岸氏は「営業が仕組み化できていても、その仕組みが適切か？　その仕組みが継続的に回っているか？　という観点で確認、検証、そして改善に努めています」と語ります。従来の営業活動にSFAを導入することで、内勤営業と受注活動に分業するだけでなく、若手の積極的な登用をして、社員がみるみる育っていきました。

「内勤営業のチームでは、営業の未経験者もいます。仕組みを構築して、それをToDoリストによって実行の可否が見えるようになって、個々の社員の業務のやり忘れの防止や、仲間や上司のサポートの適正化などを進めています」

営業DXの成果も見えてきた同社。マーケティングだけでなく、内勤営業と受注活動の分業に加えて、若手の育成に成功しました。

事例2

営業DXで営業のブラックボックス化を解消し、新規開拓に成功

ヤマゼンコミュニケイションズ株式会社（栃木県・印刷業）

ヤマゼンコミュニケイションズ株式会社（代表取締役社長　山本堅嗣宣《みつのぶ》氏）は、印刷事業から始まり、現在はデザイン事業やマーケティングリサーチ事業などを展開しています。二〇二三年に創業七三年を迎えました。栃木県のタウン情報サイト「栃ナビ！」の運営や、フォトブック作成サービス「nocoso」の販売をしています。

●営業DXで営業活動のブラックボックスからの脱却

かつて同社は、営業活動が個人のやり方に大きく依存している状況でした。市場の競争が激しくなるなかで継続的に会社を成長させるためには、個の営業部員が中心となる活動から、個に頼らない組織的な営業へ変革する必要性を感じていました。

「経営層から見ても営業活動がブラックボックスになっており、なかなか見えないということがありました。そもそも営業活動は社外で発生するものであり、見えにくいという側面はありますが、営業活動を見えるようにすると同時に、組織として営業力をつけなくてはならないと考えていました」と、山本氏。ブラックボックスとなっていた営業活動の解消に向けてＩＴツールを導入して営業活動を見える化しながら、組織を変えていきたいと考えたことが、同社が営業ＤＸに取り組むきっかけとなりました。

●同社の営業DXの始め方

印刷業としてのルーツを持つ同社では、およそ一〇名の営業部員で直接販売を中心とした営業をしていました。当時のやり方は、お客さまの名刺情報は個人の営業部員が本人所有するファイルで管理しており、お客さまとの接触も個々の営業部員に委ねられている状態でした。

同社では、個々の営業部員が保有していたお客さまの連絡先情報である名刺を、会社として一元管理することから始めました。まずは名刺管理ツールを導入して、個々の営業部員が保有していたお客さまの名刺情報を集めることから始めました。それまで個人の営業部員としてお客さまに接触していましたが、会社としてお客さまに連絡ができる準備が整いました。

それと同時に、営業活動の仕組み化を強化しています。会社が定めた営業活動の仕組みにしたがって、当初はExcelで営業活動の進捗情報を各営業部員から毎週報告させていました。同時に、各商談の確度を示すヨミも各営業部員から報告させはじめました。これにより、タイムリーにお客さまの要望や競合の情報が経営陣のもとに集まるようになりました。

営業DXによって、徐々に営業活動のデータが蓄積するようになりました。

●MAツールで新規開拓に成功

同社では、営業DXの次の一手としてMAツールの導入に踏み切りました。MAツールは、当社が提供する『Kairos3 Marketing』を導入しています。個人の営業としてお客さまに接触するのではなく、会社としてお客さまとの接点を持つことを目指してMAツールを導入しました。

お客さまごとの売上や利益、会社の方針などに合わせて、どの領域に重点を置くか、などの営業戦略が同社にはありました。重点領域には営業部員の人数を増やして手厚く対応し、人手が足らない領域にはMAツールの力を借りて効率よくお客さまに接触するなどの施策を営業DXの一環として山本氏は捉えていました。

MAツールの導入により、従来の営業活動を新規開拓と受注活動に分業することになります。会社の営業戦略における重点領域では、営業部員によるお客さま接触を増やします。それ以外のお客さまにはMAツールを活用したお客さま接触を試みます。

重点領域以外のお客さまには、MAツールで定期的にお客さまにメルマガを送ることにしました。メルマガは同社の印刷業のお客さまだけでなく「栃ナビ！」のお客さまにも送っています。「栃ナビ！」は二〇二三年九月において、一万五〇〇〇以上の掲載があり、たった数名の営業部員だけでは、これだけのお客さまをカバーすることは不可能です。掲載の更新時期が近づいたらお知らせを送り、新しいサービスをお客さまにお届けするなどのメール接触を手がけました。

MAツールでお客さまのメルマガの開封の状況や、お客さまが当社のホームページのどこを見ているかなどを見ながら、商談になる可能性の高いお客さまを探し出し、必要に応じて営業部員にお客さまに接触していただくことにしました。お客さまを訪問した際に「メルマガを見ていただけましたか？」とメルマガの内容に触れることで、お客さまとのトークのきっかけづくりになっています。まだメルマガを読んでいない場合には、その内容を口頭でお伝えするなどの営業活動ができるようになりました。

お客さまに会う前にお客さまの興味・関心の箇所がわかるようになり、これまで個人の営業の勘や経験に頼ることなく、データを活用した営業活動ができるようになりました。営業ＤＸがうまくいっていると言えます。

●ＳＦＡの導入へ

受注活動の営業管理はExcelが中心だった同社。ＭＡツールを活用したマーケティング施策で成果が出てくることで、マーケティングから受注活動につながった商談を詳しく分析する必要が出てきました。Excelの検索機能でこれを実現していたのですが、時間効率やミスの有無を考えると、どうしてもＭＡツールとＳＦＡのデータ連携が必要となりました。

ＭＡツールはＳＦＡとデータ連携ができることが多く、『Kairos3』も例外ではありません。ＳＦＡも『Kairos3 Sales』を導入して、ＭＡツールの『Kairos3 Marketing』とデータ連携しました。

ＳＦＡでは、営業ステージとヨミを設定することで、これまでの営業活動の仕組み化をしました。ＳＦＡツールで営業活動が見えるようになり、およそリアルタイムで営業活動の全体を把握できるようになりました。営業ＤＸを通じて、ＭＡツールとＳＦＡを導入した同社では、「経営判断が以前に比べて迅速かつ的確にできるようになった」そうです。

同社は、営業ＤＸを導入することで得た自社の知見やノウハウを地元の公共団体や企業に提供するなど、地域社会の発展にも努めています。

事例3 デジタル営業で顧客関係を構築し、新規開拓を実現

シコー株式会社（大阪府・産業用包装資材）

シコー株式会社（代表取締役社長　白石忠臣氏）は、産業用包装資材（クラフト重包装袋・プラスチック段ボール・ＰＥ重包装袋・その他包装資材など）を製造・販売しています。大阪に本社を置く、昭和二五年（一九五〇年）創業の企業です。

「包装で創るストレスフリーな世界」を同社の経営理念とし、社内だけでなく、お客さま、協力企業さま、関係するみなさんと感動を共有するため、「包むカタチを創意する〜包装の窓口〜」をコンセプトワードに事業を展開しています。同社は、包装に関するさまざまな悩みを解決する製品を作る、企画力と開発力が強みであり、お客さまの現状のニーズに応え続ける一方で、それまで当社が培ってきた知見をもとに、お客さま視点で新しい製品を提供できることが特徴です。

●ホームページと社内報を変えることから営業DXが始まった

シコー株式会社は、白石氏が経営を引き継ぐ数年前から、会社の取り組みを外部に積極的に発

信するようになりました。これが、同社の営業ＤＸのきっかけです。会社の取り組みを外部に発信するだけに留まらず、自社のホームページから新しい商談の獲得できるような仕組みをつくることを目指して営業ＤＸに取り組むようになりました。

「以前の当社の新規開拓は、機械メーカーさまや同業メーカーさまからの紹介など、紹介に頼るところが多くありました。産業用包装資材の分野において、それまでの引き合いに頼らず当社がもっと成長していくには、自社でもマーケティングをしていかないといけないと感じていました」と、白石氏。

本書でも述べたとおり、営業部員に新規開拓と受注活動を任せておくと、どうしても新規開拓よりも受注活動が個人の営業部員の優先業務となってしまい、新規開拓が進まなかった当時の課題も営業ＤＸの流れを後押ししました。

同社では営業ＤＸの推進を目指して、ホームページを通じた社外への情報発信に加えて、社員とのコミュニケーションの軸となる社内報にも営業ＤＸの流れに取り込むことにし、これまでの冊子からＩＴツールを活用した社内報に変えていきました。

営業活動だけでなく社内報も変えることで、営業ＤＸに対する社員の意識が変わりはじめました。

デジタル顧客カルテをつくってメルマガの運用を始める

営業ＤＸを始めるといっても、同じ業界で営業ＤＸをしている企業がない状態で、右も左もわからない状態から始めた同社。ホームページを一新しただけでは新規開拓につながるとは思っておらず、営業ＤＸとしては不十分であることを認識していました。

ホームページで集客したお客さまに何らかの方法で定期的に接触することで、商談をつくりだす仕組みも同時に必要であると考えていた白石氏。ホームページの一新と同時に新規開拓のマーケティングを目的としたメルマガを始めることで、それまでの同社の営業で抱えていた新規開拓の課題を営業ＤＸによって解決することにしました。

受注活動を担う営業部員ではない社員にメルマガの担当者にお願いすることで、本書でも紹介したとおり、従来の営業を新規開拓と受注活動を分業するような形になりました。

メルマガを始めるにあたって、デジタル顧客カルテの構築から始めました。各営業部員が個別に管理していたお客さまの名刺情報を集めて会社として一元管理するために、名刺管理ツールを導入しました。名刺管理ツールとＭＡツールを連携することで、社内にデジタル顧客カルテをつくることから始めています。

メルマガは、見込みのお客さまと既存のお客さまを合わせたデジタル顧客カルテの全リストを対象にして、月一回の配信を目標とするところから始めました。お客さまの事例や新商品の紹介など、お客さまのお役に立てる情報を届けています。メルマガもお客さま接触の一過程であることを踏まえて、メルマガの冒頭では季節感のあるあいさつ文や、担当者のエピソードも交えるなど、お客さまに親しみを持っていただける工夫もしています。売ることが目的ではなく、お客さまとの関係値をつくることを目的としているところが同社のメルマガの特徴です。

●営業DXにおける新規開拓の成功へ

メルマガを送るたびにMAツールの「スコアリング機能」を使って、誰がメールを開封し、誰がホームページを見ているかなどもメルマガの担当が確認をするようになりました。メルマガの担当が、この見込みのお客さまについては営業に知らせたほうがよいと判断した場合には、そのお客さま情報とホームページのどこを見ていたかなどのデジタル顧客カルテの情報を営業部員と共有することにしています。その後、営業部員からお客さまへ連絡すると、商談のアポにつながる機会が出てきました。

また、営業担当がお客さまとお会いしたときに、メルマガでお知らせした内容について質問されることもあるようです。メルマガの返信をいただくこともあり「いつも読んでいます」とか「メルマガの情報参考になります」とコメントいただくことでメルマガ担当のやる気にもつながっています。

同社にとっても営業ＤＸの成果は、従来の同社の営業活動では絶対に会えなかったお客さまに接触して、受注に至ったことです。従来の同社の営業活動は紹介やある特定の業界に特化していました。営業ＤＸによって、新たなお客さまに同社のホームページで見つけてもらい、メルマガなどで情報を提供しながら新規開拓の商談発掘を分業することで、新規開拓に成功したこともあげられます。

現在でも、メルマガによる新規開拓のためのマーケティングによる商談発掘の試行錯誤をしながら、メルマガの運用を仕組み化しています。これまでに得たメルマガの知見やノウハウを業務マニュアルとして残すことで、いまでは同社のメルマガ担当も三代目に引き継がれています。

あとがき

売上一〇億円を目指す組織をつくるためには、これまでの成功体験を仕組みとして組織に落とし込むことが欠かせません。その過程のなかで、小さな組織のトップはエースストライカーの点取り屋から監督に変わるのです。これまで一〇〇〇社を超える小さな組織のリーダーとお会いしてきましたが、例外はほとんどありません。

書店に行くと、マーケティングや経営戦略、営業に関する本がたくさん並んでいます。どれも大きな組織向けのものが多く、小さな組織が発展するための本が少ないと感じていました。

日本の企業は、そのほとんどが小さな組織です。小さな組織が大きな組織のマーケティングや営業のやり方を真似てもうまくいかないことは明らかです。なぜなら、大きな組織には優秀な人が集まり、お金が集まり、情報も集まっているからです。小さな組織には、このいずれもありません。ただ、その小さな組織をここまで育ててきたリーダーが引っ張っている現実は否めません。

リーダーの頭のなかにあるビジネスの航海図を仕組みとして社員に展開することで、仕組みができあがります。仕組みを実践することで、社員が成長する。成長した社員が会社を成長させます。この正のスパイラルを、マーケティングや営業の業務の仕組みとして会社の基盤にするだけです。

売上一〇億円を目指す仕組みは誰にでもできるものです。あとは、やる気と勇気。本書を読みながら実践していただければと思っています。みなさんが本書の内容を実践していただくことが当社の理念である「マーケティングを、もっと身近に。」することにつながると考えています。

事例取材にご対応いただきました三光製作株式会社の山岸洋一氏、ヤマゼンコミュニケイションズ株式会社の山本堅嗣宣氏、シコー株式会社の白石忠臣氏に、この場を借りて御礼申し上げます。

最後に、当社カイロスマーケティングに在籍し、五年以上にわたってマーケティングや新規開拓の営業を数倍にも成長させてくれた谷川愛氏には、本書の企画から執筆までを支援いただきました。谷川氏があってこそ、本書の完成に至ったと思っております。大変感謝いたします。

本書が、小さな組織のリーダーであるみなさんにとって、売上一〇億円を目指すきっかけになっていただければとても幸いに存じます。

二〇二四年　一月

カイロスマーケティング株式会社
代表取締役　佐宗大介

［著者］
佐宗大介（さそう・だいすけ）
カイロスマーケティング株式会社代表取締役。
ものづくりに関する小さな組織が多い静岡県浜松市生まれ。小さな会社を経営する父親を持つ。よいものがあれば売れるという時代から、もっと知っていただき、そのよさを伝えることが、日本の継続した経済の発展と、雇用の創出になると信じて、「マーケティングを、もっと身近に。」という理念を掲げてカイロスマーケティング株式会社を2012年に創業。
数千の日本全国の小さな組織のトップの悩みを聞きながら、2000を超えるお客さまに営業DXで解決するためのITツール『Kairos3』の開発と提供をしている。
■メルマガ登録：販促・営業の時流通信
https://k3.kairosmarketing.net/form/dsml

売上10億円の壁を突き破る！
営業DXの強化書

2024年2月6日　第1刷発行

著　者——佐宗大介
発行所——ダイヤモンド社
〒150-8409　東京都渋谷区神宮前6-12-17
https://www.diamond.co.jp/
電話／03･5778･7235（編集）　03･5778･7240（販売）
ブックデザイン—近藤由子（VPデザイン室）
製作進行/DTP—ダイヤモンド・グラフィック社
印刷／製本—ベクトル印刷
編集担当——久我 茂

ISBN 978-4-478-11837-5